이 이야기들은 실화를 바탕으로 작성되었습니다.

목차

A

또 봐요. 시간 괜찮으시다면. A가 말했다. 나는 마지막까지 다정하게 말해주는 그 사람의 인사에 어쩐지 웃음이 났다. 큰 키에 중저음 목소리, 두툼한 몸통과 허벅지. 또 만나고 싶었다. 인기가 많은 게 이해가 가는 사람이었다.

다정함

A를 만난 건 4년 만의 일이었다. 나는 지난 힘든 시간을 겪은 후, 어쩐지 A가 보고 싶다 느껴져 그에게 연락한 참이었다. A에게 호감을 느끼긴 했었지만 먼저 말을 걸 용기가 나지 않았달까, 당시에는 그에게 어떤 추파를 던지려는 생각은 하나도 없었다. 카페 문을 열고 들어온 A는 역시나 큰 키가 돋보였다. 예전과는 조금 다른 인상이었다. 그는 요새 살이 좀 쪄서 몸이 커졌다고 했다. 그랬다곤 해도, 예전과는 무척 다른 모습이었다. 훨씬 훤칠하고 멋있어졌었다. 안경도 써서, 예전에 느낀 그 감정과는 다른 감정이 피어올랐다. 어쩐지 몸을 비비 꼬고 싶어졌다. 그의 근황을 물으면서, 나는 자연스럽게 대화를 이어 나갔다. 중저음의 목소리. 인기가 많을 만한 사람이었다. 그도 나를 매력적이라 느낄까? 내가 오늘 다른 의도가 있어서 부른 걸 알면 어떻게 생각할까? 아니, 이미 예상하고 왔는지도 모른다. 우리는 단순한 친구라고 하기엔 조금 묘한 관계여서.

그가 하는 이야기들은 재밌었다. 이런저런 이야기들. 나 역시나 그와 이야기하는 게 편해서 대뜸 이런저런 상담을 했다. A는 성심성의껏 얘기해 줬다. 마음이 어쩐지 조금 편안해졌다. 내 안의 조금의 망설임이 확신으로 변하는 순간이었다.

음, 혹시 시간 괜찮아요? 모텔 가려고 했거든요. 나는 그와 식사를 마치고 나오는 길에 물었다. A는 조금 놀란 듯했지만 이내 아무렇지 않다는 듯 대답했다. 시간이야, 많죠. 근데 정말 괜찮아요? A는 역시나 나를 아주 잘 아는 사람이어서, 나를 매우 걱정하듯 물어봤다. 네, 괜찮아요. 나는 담담하게 대답했다. 그럼, 손잡을까요? A는 다정하게 얘기했다. 그의 크고 투박한 손이 싫지 않았다. 큰 키 덕분인지 어쩐지 듬직하게도 느껴졌다.

*

샤워, 같이 할까요?

나는 긴장감을 조금 없애고 싶어서 그에게 샤워를 같이하자고 물었다. A는 흔쾌히 그러자고 했다. 샤워기에 따뜻한 물이 나오고, 그가 먼저 그 물줄기를 나에게 뿌려줬다. 어깨 부분에 바디워시를 발라주기 시작했다. 물을 끄지 않아서 욕실 공기는 금세 따뜻해지고 몸도 따뜻해짐을 느꼈다. A가 나의 목덜미에 키스했다. 고마웠다. 나에게 사랑을 느끼지 않아도 애틋하게 해주는 것 자체만으로, 나를 기분 좋게 해 주려고 노력한다는 것이.

그가 나의 몸을 더듬어 구석구석 닦아줬다. 음부에 손가락이 닿았다. 부드러운 바디워시가 손가락에 닿아 훑고 지나가니 묘한 느낌이 들었다. 대뜸 제안한 샤워인데도, A는 참 성심성의껏 나를 닦아줬다. 꽤 오랫동안. 그에게 키스했었나? 기억이 나지 않는다. 아무튼 나도 그 사람의 부드러운 손길이 좋아서, 나 또한 그 사람을 정성스럽게 닦아줬다. 그의 어깨, 팔, 가슴을 손가락으로 훑어내렸다. 손에는 바디워시가 잔뜩 묻어 있었다. 그의 페니스, 생각했던 데로 꽤 두툼하고 컸었다. 손에 바디워시가 잔뜩 묻으니 어쩐지 더 부드럽게 잡을 수 있었다. 나는 그것을 정성스럽게 닦아줬다. 아랫부분도 꼼꼼하게, 오랜만에 만난 열매를 맛보는 것처럼.

*

A가 손가락을 움직였다. 그는 예상했던 것만큼이나 여자의 몸을 잘 아는 눈치였다. 어디에 스폿이 있는지 정확히 아는 듯했다. 그 부위를 조심스럽게 쓸어내려서, 나도 자연스럽게 탄성이 나왔다. 그의 손길은 마구잡이로 거칠지는 않았다. 그저 조심 조심히 나의 음부를 훑었다.

A는 그 끈적한 진액을 맛보고 싶었는지 손가락에서 입으로 도구를 바꿨다. 따뜻한 숨이 닿는 게 느껴졌다. 부드러운 혓바닥이었다. 부드럽고 자유자재로 움직이는. 나는 그렇게도 능수능란한 혓바닥을 본 적이 없었다. 그는 맛있는 아이스크림을 먹듯 조심스럽게 핥았다. 아이스크림이 어디 한 방울 떨어지지 않을까 노심초사하면서. 덕분에 내 안의 진액들은 그의 입가에 잔뜩 묻게 됐다. 그가 나의 앵두를 부드럽게 핥는 게 느껴졌다. 열매가 빨갛게 익었던 게 틀림없다. 어쩜 그리도 탐스럽고 빨갛게 변했는지. 눈으로 보지 않아도 알 수 있었다. 반짝반짝 빛나는 어느 한 지점을, 맛있게 맛보고 있겠지. 나는 그저 누워서 그 황홀함에 몸을 맡길 수밖에 없었다.

내가 그간 힘들었다는 걸 알고 이렇게 열심히 해주는 걸까? 그런 생각이 들었다. 아니면 내가 예뻐서 그런 걸까, 내가 조금이나마 맘에 들어서 그랬던 걸까? 그것도 아니라면 이 사람은 원래 이렇게 항상 섹스에 진심인 걸까? 나만큼이나 섹스를 좋아하니 그럴 만은 했는데, 그런 것보단 그가 지금 이 순간을 즐기고 있다고 믿고 싶었다.

받기만 하고 있자니 어쩐지 애가 타서 발가락으로 그의 페니스를 건드렸다. 두툼한 무언가가 발가락 위로 지나가는 게 느껴졌다. 나는 그를 침대에 앉히고 그의 가슴을 조심스럽게 쓸어내리다 젖꼭지에 입술을 멈췄다. 혀로 장난을 쳤다. 달콤한 디저트를 먹듯 한번 쓸어 올렸다가 혀끝으로 조금씩 건드려 봤다. A가 좋아하는 듯했다. 나는 그의 두툼한 몸통을 꼭 끌어안고, 날개뼈도 만져봤다 치골도 만져보며 그를 간지럽혔다. 입술을 옮겨 그의 페니스를 핥았다. 한입에 움켜쥐니 제법 더 묵직하게 느껴졌다. 귀두 부분을 둥그렇게 말아먹다가, 기둥으로 혀를 옮겼다가 뿌리부터 끝까지 핥아봤다. A의 것은 발기가 되면 꽤 커져서, 이내 목구멍을 찌르곤 했다. 나는 컥컥거리며 중간중간 멈출 수밖에 없었다. 하지만 그만두기엔 너무 달콤해서, 고집스럽게 그 기둥을 손에 잡고 놓아주지 않았다. 손으로 두 방울을 조심스럽게 만지면서 오랜만에 만난 샘물을 맞이하듯 탐스럽게 그의 것을 핥았다. 나는 이 묵직함이 너무 그리웠다.

그렇게 계속 빨고 싶어요? 정신없이 핥는 나의 얼굴을 잡고 A가 말했다.

A는 침대 위로 올라와 보라고 했다. 그는 엉덩이를 자신에게 향하게 하고는 나의 두 다리 사이에 코를 박았다. 그의 콧바람이 나의 음부에 닿는 게 느껴졌다. 나는 그 콧바람이 너무 따뜻해서 순간 몸의 중심을 잃었다. 눈앞에 그의 페니스가 있었다. 아직 끝난 게 아니었구나, 다행이었다. 나는 안도의 한숨을 쉰 채 그의 페니스 옆에 얼굴을 묻고, 그의 것을 손으로 잡고 조심스럽게 만져봤다. A는 계속해서 나의 음부를 맛보고 있었다. 샘물이 끊이지 않고 나와서 조금 부끄러웠다. 그렇게 계속하면 계속 나오잖아요. 나는 그의 것을 빨다가, 중간중간 그가 하는 장난에 움찔거리며 멈출 수밖에 없었다.

*

A가 뺨을 때린 것은 의외였다. 처음으로 맞아본 뺨에 적잖이 놀라기도

했다. 나쁘지 않았다. 아까 했던 잠깐의 대화로 내가 좋아할 거란 걸 알고 한 건가? 아니면 원래 때리기를 좋아하는 사람이었던 걸까? 아무렴 어떤가. 나는 흡, 하고 얕게 신음을 내뱉었다. 눈을 살짝 뜨자 A가 나를 내려다보며 얕게 웃는 게 보였다. 그는 내 다리를 자기 어깨에 올렸다가, 이번엔 가슴팍에 발바닥을 기대게 했다. 자세를 그렇게 고쳐 누우니 신기하게도 더욱 깊숙이 압박하는 느낌이 들었다. A는 꼭 어디선가 그렇게 하면 여자의 질 안에 더욱 깊숙이 넣을 수 있다는 걸 어딘가에서 봤을 것이다. 그는 자신도 내 안에 깊이 들어간 걸 안다는 듯, 그리고 그 느낌이 나쁘지 않을 거라는 걸 안다는 듯 발목을 가슴으로 압박한 채 피스톤질을 이어 나갔다.

A는 어느 한 부분을 지속적으로 찔러댔다. 꼭 그 안에 무엇이 있는지 훤히 들여다보는 것처럼, 여자의 몸을 탐구하는 것 같았다. 자세를 바꿔 내 한쪽 다리를 깔아뭉개고, 한쪽 다리는 들어 올렸다. 그렇게 되니 아까와는 또 다른 느낌으로 깊숙이 들어올 수 있었다. 나는 그때까지는 몰랐지만, A는 지속적으로 나의 질 내부를 자극하고 있었다. 점차적으로. 내 몸이 살살 녹아가는 것을 지켜봤다.

그는 페니스를 빼더니 이번엔 손가락으로 동굴을 탐색했다. 두 손가락이 아주 짧은 순간, 빠르게 움직이면서 어느 한 지점을 향해 빠르게 달려 나갔다. 그때 내 안에도 짧지만 강력한 무언가 휘몰아치더니 파바밧, 하고 물줄기를 흩뿌렸다. 나는 경험해 보지 못한 낯선 느낌에 소리를 질렀다. 너무 놀라서 순간 두 눈을 떴다가 다시 눈을 감았다. 이런 건 인터넷에서만 봤던 건데, 이런 일이 나에게도 일어날 줄이야. 나는 그런 것들이 다 거짓이라 믿고 있었기에 눈앞에서 벌어진 일에 놀라지 않을 수 없었다.

A는 끝나지 않았다는 듯 다시 한번 내 위로 올라왔다. 아까 나의 음부를 핥았던 것만큼이나 야한 혓바닥으로, 이번에는 발가락을 핥기 시작했다. 혓바닥이 발바닥과 발가락 사이를 넘나들면서 자유자재로 움직였다. 그가 눈

을 감고 나의 발가락을 맛있게 맛보고 있는 것을 보았다. 간지러웠다. 아니 간지러움과는 조금 다른 느낌이었다. 나는 발가락에도 나의 신경이 자리 잡고 있다는 것을, A덕분에 알게 되었다. A는 꽤 오랫동안 삽입을 이어 나가면서 나의 발목을 잡고 놓아주지 않았다. 발목이 가는 편이라 다행이었다. 그는 혓바닥으로 복숭아뼈를 핥고, 발등으로 넘어왔다가, 엄지발가락 끝까지 차례대로 맛봤다. 야한 그 느낌에 간지러운 신음이 나왔다. 단순히 좋아서라기보다는, 진심을 다해 나의 발을 좋아해 주는, 그 욕망이 가슴속 깊이 전해졌다.

그가 끊임없이 자극하는 바람에 나는 계속해서 젖을 수밖에 없었다. 그는 다시 한번 나의 질을 충분히 자극했다 생각했는지 또다시 페니스를 빼고 손가락 장난을 하기 시작했다. 강하지만 너무 자극적이지 않게 질 벽을 세차게 긁어댔다. 나는 잠시도 반항하지 못한 채 그가 하는 장난질을 받고, 찰나의 순간 또 물줄기를 흩뿌렸다. 그제야 짧은 숨을 토할 수 있었다. 다리가 바들바들하며 떨리는 것이 느껴졌다.

좀 쉴까요?

A가 젖은 시트를 만지더니 다정하게 말했다.

*

중압감이 넘치는 몸에 깔려본 게 얼마 만인지, 나는 그 자체만으로 좋아서 나를 탐해주는 그를 온전히 즐길 수 있었다. A가 나의 입술에 키스했다가 다시 몸을 일으켰다. 리듬감 있는 움직임이 나의 머리를 계속해서 흔들었다. 정신을 차릴 수가 없었다. A는 그런 나의 얼굴이 맘에 들었는지 손바닥으로 쓸어내리더니 갑자기 목을 꽉 쥐어버렸다. 흡, 하는 소리와 함께 숨이 턱 막혔다. 그런 나를 물끄러미 바라보는 A가 느껴졌다. 처음으로 겪어보는 숨이 멈추는 느낌에, 나는 고통이라고는 말할 수 없는 어떤 강렬한 짜

릿함을 느꼈다. 나를 짓누르고 벗어날 수 없는 강한 힘이 내 몸을 전율하게 했다. A는 그런 나의 표정이 만족스러웠는지 손의 힘을 점차 풀어줬다. 하, 하고 한숨이 나왔다. 눈을 뜨니 나의 두 다리를 잡은 A가 보였다. 나는 그런 그의 얼굴이 좋아서 그의 얼굴을 더듬었다. A가 더 깊숙이 넣기 위해 몸을 숙였을 때 그의 젖꼭지를 핥았다. 정말 멈출 수 없었다. 더 세차게 박아줘. 나는 한껏 흥분되는 마음을 주체할 수 없어서 젖꼭지를 핥다가 이내 물어버렸다. A가 얕게 탄성을 내뱉었다.

A는 자신이 위에 있는 것을 좋아하는지 처음부터 끝까지 나를 내려다보고 있었다. 하지만 나는 그 내려다보는 시선이 싫지 않았다. 오히려, 다리 자세에 따라 들어오는 깊이가 달랐기에 재밌었다. 나는 그가 내 발바닥을 자기 가슴에 붙이고 결박하는 자세에서 박아주는 걸 좋아했다. 훨씬 묵직했으며 깊이 들어오는 것 같았다. 그 사람도 그걸 아는 눈치였다. 질 내벽을 끊임없이 자극하는 바람에 나는 끝내 울음 섞인 신음을 뱉을 수밖에 없었다. A는 그런 모습을 보는 게 처음이 아닌 듯, 아니 기다려 왔다는 듯 계속해서 움직였다. 나는 낚싯대에 붙잡힌 물고기가 된 것처럼 어쩌지도 못하고 그가 흔드는 데로 그저 같이 흔들릴 뿐이었다. 그만, 그만 느끼게 해 줘요. 이러면 자꾸 생각날 거 같단 말이에요. 나의 애처로운 외침은 그의 가슴팍에 튕겨 나가떨어져 버렸다. 흐느끼는 나의 모습을 즐기는 듯했다.

A는 또다시 페니스를 빼더니 내 안에 두 개의 손가락을 넣었다. 아, 또? 나는 놀랄 시간도 없이 그가 하는 행위에 맡겨졌다. 어쩜 그렇게 샘물이 멈추지 않을 수 있는 건지, 나조차도 신기했다. 횟수로 새다가 중간에 정신을 잃었던 거 같은데, 아마 열 번째였던 것 같다. 그 사람도 신기해하는 것 같았다. A는 파바밧, 하고 빠르고 밀도 있게 질 벽을 긁어냈다. 순간적으로 일어나는 폭발과 같은 느낌이 지나가자, 시트가 흠뻑 젖어버렸다. 너무 젖어버려서 이미 한번 뒤집은 시트였는데, 그랬는데. 나는 완전 넋이 나가서 허공

만을 바라봤다.

　　A가 나의 머리를 쓰다듬으며 말했다.

　　아까 꼭 성난 암사자 같던데, 귀여웠어요.

문득 너무 몰두하고 빨았었나, 그런 생각이 들었다. A 가 어떤 표정을 하고 있었는지 나의 머릴 만져주었는지 기억나지 않는다. 나는 그저 목마른 사슴처럼 그의 것을 핥았다. 손가락에 묻은 감촉이 오랫동안 생생하게 남아있을 뿐이었다.

B

B가 있는 공간은 촛불 하나와 향이 좋은 와인이 늘 함께했다. 나는 1974 way home이 들리는 그 공간을 좋아했다. 초콜릿 향이 나는 와인을 계속 마시고 있으면, 그 공간은 더욱 달콤하게 변해가곤 했다.

무료함

이게 뭐냐 싶네, 영화가.

그렇지. 다음번엔 좀 더 재밌는 걸로 보자. 이건 좀 너무했어. 기대 수치
가 하나도 충족되지 않았잖아. 캣우먼이 앤 해서웨이라는 것부터가 에러라
고.

맞아. 나는 쌈박질'만'하다 끝날 줄은 상상도 못 했어.

입에 그 마스크는 하나도 멋지지를 않을뿐더러.

한 달간 만나지 않았었다.

그런 상황이었지만, 영화관 앞에서 만나는 건 볼래? 나랑. 한마디면 충
분했다. 한 달 전부터 꼬박 기다려 온 크리스토퍼 놀런 감독의 새 작품이 나
온다고 입이 부서지라 말하고 다닌 사람, 인셉션 이야기를 시작할 때면 몇
시간이라도 부족할 것 같은 사람이란 걸 알기에 금요일 밤에 보자고 얘기했
다. 몇 분 뒤에 온 대답은 예상했던 대로였다. 불금이나 보내자며, 기다리고

기다렸던 영화도 궁금했던 찰나. 요소와 조건은 충족되어 있었고 너무나 간단하게 우리는 만났다.

그러나 영화는 그야말로 개떡이었다. 치밀하디 치밀한 그 멋스러움은 찾아볼 수가 없고, 타인들의 극찬은 어디로 간 거냐며 한숨만 푹푹 나올 뿐이었다. 옆에 있어도 나름 집중해서 봤건만, 이러기나. 실망을 감출 수가 없는 영화였다. 나도 그렇게 느꼈고, B는 더더욱 그렇게 느끼고 있었다. 재미가 없는 2시간 반, 여자 남자 둘이 만나 이토록 지루하고 짜증 날 수가 있나. 처음으로 그렇게 느꼈다. 지루하고 찝찝한 이 기분을 떨쳐버릴 무언가가 절실했다.

지금 버스 없어? 아직 남아있지 않나?

모르겠네, 끊겼겠지, 뭐.

버스정류장을 지나가는 길. 버스가 오는 시간이 나오는 LED는 보지도 않고 묵묵히 걸었다. B도 마찬가지였다. 묵묵히 걷는 나를 잠깐이라는 단어도 쓰지 않은 채 물어보았다. 아마 끊겼을 거다, 라고 대답하는 내 표정은 보여주기 싫어 땅만 보고 걸었다. 정류장에서 그리 멀지 않은 그 공간으로 향하는 발걸음. 한걸음 한걸음에 내가 지금 어딜 향하고 있는 건가 어이가 없다는 생각을 되풀이했다. 한동안 말이 없다가 그가 먼저 맥주를 마시고 들어가지 않겠냐며 편의점에 들어갔다. 뭐, 지금 상황에 마시면 갈증 해소하는 데엔 딱 맞겠군 이란 생각이 들었다. 취향에 맞는 것을 하나씩 고르고, 바로 옆 벤치에. 10cm가량을 사이에 두고 앉았다. 벤치는 시원한 바람을 맞기에 제격이었다.

우리나라 맥주는 맥스 아니면 OB를 마셔야 해.

왜?

그게 진짜 보리 함량 맥주야.

참 이런 순간까지 함량을 따지는구나, 라고 생각했다. 이것은 무엇이 어떻고, 저것은 무엇이 어때서 그렇다는 표현에 수긍하길 여러 번, 그 말을 듣고 보니 정말로 맥스가 맛있었다. 처음 봤을 때부터 전혀 관심 없던 것도 말 한마디로 관심 두게 하는 면이 있어 독특하다고 생각하던 참이었다.

별 시답잖은 얘기를 했다. 지금은 기억도 안 나는 자질구레한 얘기들. 다시 한번 되새기는 다크나이트 라이즈, 인셉션. 다크나이트 라이즈는 정말 별로였다며 10중에 3만이 제대로 됐었다고 입을 맞췄다. 그것만 해도 몇백 마디는 지나갔다. 하지만 그 몇백 마디만큼 시간은 비례하지 않았다. 아사히 300캔 하나가 아무리 마셔도 줄어들지 않는 느낌이 들어 조금 조급해지기도 했다. 이야기를 전환해 다른 주제로 가자 다시 잘 흘러 들어가는 맥주. 마시고 마시길 여러 번, 먼저 비운 건 내 쪽이었다.

택시 타고 갈까.

푸하하.

농담이야, 택시비가 얼만데.

한참을 마신 것은 절대 아니었다.

코끝이 잔뜩 취해서 그 취기가 위 속을 흔들고 흘러 흘러 머릿속에 윙윙 돌 때쯤, 정신이 나갔었다. 평소 마시던 양의 절반쯤이었는데, 앞에 있는 잔과 그 앞에 있는 B, 그리고 등을 기대고 있는 미지근한 온도의 벽 사이에서 빨리 취하는 건 그리 어려운 일이 아니었겠지. 나는 취했구나, 취했어. 너무나 쉽게 졸음이 밀려왔다. 체감 시간은 한 시간도 되지 않았다. 언뜻 시계를 보았을 땐 1시 정도였으니.

절대로 많이 마시지 않았었다.

*

올라와.

불을 끄고 너무나 당연한 듯 바닥에 눕는 B의 정수리를 보고 있자니 짜증이 있는 데로 올라왔다. 새침데기 중2냐고, 네가 지금 거기서 널브러져 코 골 준비나 할 때야? 있는 욕 없는 욕을 다 하고 싶은 목구멍을 누르고 눌러서 한마디만 내뱉었다.

올라가면 덮친다. B가 말했다. 나는 어쩐지 웃음이 나 코웃음을 쳤다. 웃기고 있다 정말. 그러고는 생각하는 것을 음절 하나하나에 가득 담아 올라와, 그래도. 라고 한 번 더 얘기했다.

단 몇 음절에 충분한 대화. 슬금슬금 일어나 구렁이가 담 넘어가듯 이불을 걷어 올리고 B가 옆자리에 누웠다. 순간 머리가 펑 도는 느낌이 들어 팔베개와 그 품에 시선을 맞추고, 단 1초 만에 나는 잠들었다.

너무나 어이없게도.

*

꿈은 꾸지 않았다. 차라리 생생한 꿈을 꿨으면 잠이 깼을 때 이것이 꿈이구나, 라고 생각할 수 있었을 텐데 그러지도 못했다. 일어나서 시계를 보니 7시 정도를 가리키고 있었다. 징글징글한 수면 습관, 이런 상황에서도 시간 맞춰 깨는구나 싶어 웃겼다. 팔베개는 그대로였다. 나만 그대로고, 내 주변의 모든 것들은 일반적이지 않았다.

그 상황에서 B의 얼굴을 10분 정도 바라보았다. 독특하다고 생각했는데 생각보다 그렇지도 않았다. 눈앞 머리에 조금 나 있는 다크서클, 평범한 피부, 아침이라 메마른 입술. 너도 평범한 사람이라고 생각하던 찰나 낮게 코를 골고 있지 않았다. B가 잠이 깼다는 것에 내 정신도 번쩍 깨고, 역시 이 상황은 일반적이지 않다는 생각이 들었다.

잠든 척을 하는 것은 꽤 오랜만이었다.

그렇게 한 5분가량을, 나는 잠을 자는 거야, 라는 메시지를 보냈다. 다시 5분이 지났을 때 생각이 조금 바뀌었다. 들숨과 날숨의 소리가 들렸기 때문이다. 놀라울 만큼 규칙적인 템포였다.

먼저 세리머니를 날린 건 내 쪽이었다. 갈구하는 마음이 들키면 어떡하나, 생각할 마음은 별로 들지 않았다. 오히려 알아줬으면 하는 어린애 같은 심보였다. 심지어는 내가 지금 윗입술과 아랫입술을 어떻게 쓰고 있나, 내혀는 무얼 하고 있느냐는 생각도 들지 않았다. 아무런 생각이 들지 않던 잠깐의 시간, 마음이 앞서서 제멋대로 움직이는 입술에 가만가만히 맞춰주는 B가 얄미웠다. 정말 너무한 거 아닌가. 입술을 옮겨가며 내 울고 싶은 이 기분을 느껴보라고, 네가 생각했던 것보다 더 절절하지 않냐고 전달했다.

그 절절함 때문이었는지, 내 쪽에서 받아야 할 것은 별로 없었다. 필요치 않았다. 절정으로 가기 위한 중간 과정이 너무나 자질구레했다. 다크나이트 라이즈에 나왔던 베인의 과거만큼이나 쓸데없다고 느껴졌다. 결말에 있어 도움 되지 않는 전개는 길어지면 길어질수록 지루하고 짜증 날 뿐이야. 그 전개가 있어 결말에 보탬이 된다면 모를까, 오빠도 그렇게 생각하지 않아?

그 생각을 하고 있을 때쯤 그가 일어났다.

블랙러시안

　블랙러시안을 4잔째 주문하고 있었다. 오늘은 이 칵테일이 굉장히 맛있다며 친구와 이런저런 얘기를 하고 바람이 불어오는 바깥 경치를 구경했다. 없던 약속도 잡아야 속이 시원할 지경이었다. 근 며칠간은 B의 생각으로 가득 차서 다른 사람은 별로 생각하지도 않았었으니까. 왜 그를 이토록 생각하고 원하는 걸까. 술이 몇 잔이나 들어가도 해답은 찾아낼 수 없었다. 그저 형식적인 한탄 소리와 웃음으로 시간을 매울 뿐, 어딘가 부족하고 자연스럽지 않은 느낌으로 대화를 이어 나갔다. 그렇게 몇 번의 대화가 오가고 더 이상 견디기 힘들다는 듯 내가 먼저 말을 꺼냈다. 슬슬 일어날까? 핸드폰을 물끄러미 바라보았다. 시간은 9시쯤을 바라보고 있었다. 누군가에게 연락하기에 굉장히 이상적인 시간이라고 생각했다. 그는 지금쯤 흥겨운 분위기에 알코올을 몇 잔 들이켰겠지, 하며.

　이따가 2차에서 합류해도 될까? 라고 말을 걸어 보았다. 그러자 마치 자신도 나를 생각하고 있었다는 듯 바로 답장이 왔다. 그 몇 음절이 굉장히 인간적이라 느껴졌던 탓인지 웃음이 나왔다. B는 그런 식으로 이따가 다시 연락하겠다고 했다. 식사 후에 필요한 디저트를 미리 생각해 둔 것 같았다.

그런 역할이 되어도 괜찮을 것 같다고 생각한 건 단순히 외로움 때문이었다. 그 이외엔 없었다. 처음엔 사랑으로 그에게 접근했던 나지만 지하철의 손잡이를 잡고 취한 얼굴을 푹 숙이며 가까이 가고 있는 지금은 달랐다. 스스로가 모욕적이라 생각했다. 어떻게 이럴 수가 있지, 자존심도 없나. 그런 생각을 하며 이동하는 발걸음의 이유를 딱히 찾아낼 수 없었다. 하지만 모순적이진 않았다. 뼛속 깊이 순수하고 원초적인 마음이라고, 그런 가운데 네가 가장 먼저 생각났으니까.

움직이는 발걸음엔 저번에 함께 나눈 섹스가 요금으로 지급되고 있었다. 무게가 덜하지도 더하지도 않아 굉장히 정당하다고 느껴졌다. 그곳으로 행할 만큼의 적당함. 그걸 느끼며 지하철 문 작은 유리 속을 보자 나는 블랙러시안 몇 잔의 흔적이 그대로 남아있는 듯 살짝 상기되어 있었다. 그 모습 속에 있는 그대로의 솔직함이 느껴졌고, 이내 내 발걸음은 조금 더 가볍게 움직이고 있었다.

3번 출구로 와.

근처 바로 들어가 블랙러시안을 한 잔 더 주문하고, 그걸 다 비워 맥주를 한 병 더 마시고 있었을 때쯤 연락이 왔다. 몇십 분 속 긴장과 설렘이 초조함과 짜증으로 변하고 있는 타이밍을 가로지르는 자그만 진동이었다. 휴대전화 속 대화창은 그 경계선에서 적당한 지점을 찾은 듯해 보였다. 나는 달려가는 듯 뛰는 듯 그에게 향했다. 순간 솔직한 내 발걸음, 그리고 여름이 지나가고 가을바람이 만연히 차 있는 밤공기가 맘에 든다고 생각했다. 그 온도 또한 덜하지도 더하지도 않아 뛰는 마음과 블랙러시안 때문에 달아오른 내 모습도 숨길 수 있을 것 같았다. 그때, 모든 것은 모순되지 않고 순수하며 자연스러웠다.

*

오랜만이네.

그러게.

딱히 저녁을 먹지 않고 칵테일만 연달아 마셨다고 하자 B가 직접 김치찌개를 한 그릇 가득 담아주었다. 밥 몇 알과 두부 조각이 뜨끈한 김치찌개 속 감칠맛을 자아내고 있었다. 새하얀 무언가는 살짝 물들었을 때 더 예쁠 수 있는 법. 그제야 나는 지나간 허기가 생각난 듯 그 앞에서 순식간에 몇 숟가락을 해치웠다. 하지만 그는 그렇지 않았다. 이미 나보다 먼저 몇 수저를 떴는데도 불구하고 허기가 채워지지 않은 듯한 눈치였다. 그러고는 좀 더 뜨지 않고 다른 게 먹고 싶다는 듯, 맛있는 김치찌개를 앞에 두고 가장 먼저 수저를 놓았다. 뻔뻔스럽게도 그 맛있는 것을 양보하고 있었다.

난 이제 그만 먹을래.

사람들은 누가 뒤질세라 쉴세없이 먹어댔고, 이내 김치찌개는 생각보다 빨리 동이 났다. 역시 이 집이 끝내준다며, 그를 제외한 모두가 너도나도 부른 배를 두들기고 있었다. 그러는 사이 난 이전에 마신 알코올과 김치찌개와 함께 온 소주의 후유증으로 많이도 마셨구나, 자신을 다독이며 그만 발걸음을 옮겨야겠다고 생각했다. 상태는 확실히 좋지 않았다. 그렇게나 마셔댔으니 오죽하련만, 그런 상태에서도 밤공기가 시원해 다행이라고 생각했다. 어찌 됐든 그 덕분에 정신은 나갈 듯 말 듯 동아줄을 붙잡고 있었다. 오로지 한 가지 생각만으로 거리에 서서 택시를 기다리며. 그러고 있는데 익숙한 울림이 느껴졌다.

어디야?

감길 듯 말 듯 한눈을 뜨게 해 주기에는 더없이 적당한 무게의 문자였다. 나는 문자를 보자마자 단숨에 방향을 돌려 익숙한 그 빌딩으로 향했고, 그런 모션이 취해지기까지는 잠깐의 시간도 소요되지 않았다. 그만큼 굉장히 신속했으며 목적지가 정확한 발걸음이었다. 그 속에 조금의 군더더기도 보이지 않았다. 단숨에 시간이 지나 목적지에 다다랐을 때,

눈앞에 B의 등이 보였다.

B는 작게 고개를 숙이고 핸드폰을 이리저리 만지작대고 있었다. 그 손가락과 등에는 여유롭게 나를 맞이하던 때와는 다른 미묘한 긴장감이 흐르는 듯해 보였다. 가을바람이 한번 쓸고 지나간 참으로 반질거리는 등이었다. 하지만 나는 그 모습을 잠깐 감상할 여유 따윈 없다는 듯, 콱 잡아 보였다. 그러자 수완가 같은 모습으로 그 손을 낚아채 어깨를 감쌌다. 그것 또한 달려오듯 걸어오는 내 발걸음과 마찬가지로 신속하고 정확했다.

엘리베이터를 올라가고, 문을 열고, 현관문을 한 번 더 열었다.

그렇게 해놓고도 그는 늦장을 부리고 있었다. 맥주 한 캔을 따고 내게 주며 '짠'을 외쳤다. 나는 그 행동에 또 맞장구를 쳐 주며 다시 한번 술을 들이켰다. 이렇게 주량이 늘어간다고 생각하며 그를 바라보았다.

오면 안 될 것 같았어.

왜? 그런 생각은 하지 마.

다시 한번 만나게 된다면 그땐 실수로 넘길 수 없다고 생각했기 때문에 근 한 달 동안을 앓았다. 어떻게 해야 할까를 고민하기 여러 번. 좋아했고, 사랑하고 싶었지만, 확실히 너와 나의 관계는 그런 것을 낳기에는 턱없이 부족했다. 그랬는데도 내가 너를 찾게 된 건 왜일까, 생각했다. 그리고 어쩐지 내가 처음에 너를 찾게 된 이유와 달라지는 것 같아서 그랬다고, 그런 말을 하고 싶었지만, 하지 않았다. 그도 알 것이라고 생각했다. 이제 나는 그에게 사랑이나 달콤한 말 한마디는 바라지 않고 있었다. 단지 솔직하고 자연스러운 모습으로 안아주길 바랐다. 그런 편이 B와 나 사이를 더욱 자연스럽

게 만들거라고 생각했다.

이윽고 그는 그런 마음가짐의 내 모습에 만족한 듯 단추를 풀어보았다. 느려 보이게 가장하고 있었지만, 손가락의 움직임은 무서우리만큼 정확하게 몸에서 떨어져 나갔다. 자그마한 긴장감. 나는 이제야 취기가 오는 듯 갑자기 머리가 핑 도는 느낌을 받았다. 순간 지하철 작은 유리문에 비친 내 얼굴이 생각났다. 알코올을 어느 정도 마신 뒤에 나타나는 어쩔 수 없는 상기된 얼굴. 나는 그 얼굴이 부끄러워 지하철을 타는 내내 고개를 푹 숙이고 있었다. 낱낱이 비치는 자신의 모습에 놀랐던 탓일까. 그게 당연하다고 여겨지기까진 꽤 오랜 시간이 흘렀었다. 아마도 지하철을 내릴 무렵 그래, 내가 술을 많이 마셨구나 하고 인지했던 것 같다. 상황은 지금도 마찬가지였다. 나는 네게 이끌려 여기까지 왔고, 이 상황 속에 있어, 라고 생각하자 오히려 마음이 편해졌다. 그러고는 숙이고 있던 얼굴이 무슨 소용일까 생각하며 나 또한 자연스럽게 행동하게 됐다. 이렇게 행동하는 내 모습도 결국에 나인데. 거추장스러운 건 필요하지 않으니 끌어내 버리자며 버클을 풀고.

*

엉덩이가 예뻐.

칭찬을 받는 것은 역시 나쁘지 않구나, 하고 목마른 마음을 축였다. B는 나보다 더 취한 상태였는데도 불구하고 그런 얘길 하고 있었다. 저번에는 하지 않은 말이었다. 아마 지금은 좀 더 나를 관찰하고 있겠구나, 싶었다. 확실히 이전보단 조급하지 않았다. 다리를 모아 보라는 둥 누워 보라는 둥 갖가지 요구를 하기도 했다. 그러면서 나는, 역시 평소에 운동을 열심히 하길 잘했다고. 스쿼트를 열심히 하길 잘했다고 자신을 타일렀다. 운동을 향한 강박관념이 좋은 것일까 나쁜 것이라 헷갈리던 도중이었는데, 그가 그리 말해주니 위로가 되는 것 같았다. 어쩐지 수긍도 갔다. 탄탄한 몸은 결국 나 자신과 받아들이는 순간에 만족감을 위해서 만들어진 것이란 걸.

하반신에 자연스럽게 힘이 들어갔다. 그리고 나 스스로가 만든 모습을 느끼며 무의식중에 그와 대화했다. 그런 내 마음을 알아차렸는지 장난스럽게 더듬거리던 손바닥은 갑자기, 젊고 생동적인 나를 꽉 움켜쥐었다.

좋아해. 정말 많이.

라멘

저녁이라도 먹고 가고 싶은데.

배가 고픈 시간이었다. B는 새로 생긴 라멘집이 있다면서, 괜찮다면 거기에 가자고 했다. 라멘을 먹은 지도 꽤 오래돼서, 새로 생긴 라멘집도 궁금해질 즈음이었기에 좋다고 하였다. 밖은 가을비가 평범하게 내리고 있었지만 우산 하나로는 조금 버거웠다. 꽤 오랜만에 보는 가을비였다. 공기가 시원해질 정도의 기분 좋은 밀도를 갖고 있었기에 그리 나쁘진 않았다.

어쩐지 이상했다. B와 만날 때쯤부터 아이폰의 일기예보와 이슬비가 지금의 기후를 예상하였다. 하지만 B는 우산을 들고나오지 않았었다. 나는 비가 오는데 어떡하려고 그랬냐고 물었고, 그는 그럼 맞지 뭐, 라며 태평하게 받아쳤다. 그 대답에 조금의 망설임도 없었기에 B가 우산이란 존재에 대해 딱히 큰 생각을 하고 있지 않다고 생각했다. 오히려 비를 맞는 상황을 기다리고 있는 듯해 보였다. 젖은 뒤에는 씻으면 되는 것이니, 그리 어려울 건 아니라고 생각하는 듯했다. 나는 B에게 우산을 줬고, B는 그 우산을 가볍게 받아 들어 라멘집까지 가는 길을 조용히 걸었다. 비가 오는 날에 제격이라는 듯 라멘집은 문전성시를 이루고 있었고, 우리는 마지막 남은 테이블에 착석해 고소하고 진한 라멘을 맛보았다. 나는 너무 진해 조금은 찐득해 보이는 그 라멘을 맛보며 이런저런 생각이 들어 잠시 말이 없어졌다. 그도 말이 없었다. 무언가를 생각하는 것 같았다. 배가 불러오는 것을 느낄수록 그 생각은 점점 더 강해졌고, 맞은편에 앉은 B 또한 그런 눈치였다. 나는 말을 하지 않았다.

비라도 피하고 가지 그래?

아까와는 다른 조금 더 굵은 비가 내리고 있었다. 쏟아 내리는 비였다. 비가 꽤 많이 오는구나, 라는 생각을 하며 역으로 향하는 5분 남짓의 거리에서 나는 이런저런 생각을 했다. 어떻게 해야 할까, 다시 한번 실수로는 돌릴 수 없는 일이었다. 5분 정도를 더, 생각했다. 그러고선 어쩐지 조금 오기가 생겨 내 몸이 향하는 방향과는 정반대의 길을 향하며 버스를 타고 가봐야겠다고 말했다. B는 자그만 목소리로 비가 많이 온다고 얘기했다. 그때 그의 손에 들린 것은 나의 우산이었다. 나는 잠시 그의 손에서 온기를 받았던 우산을 잡고, 괜찮을 것 같다고 이야기하였다. 두 손에는 와인이 두 병 들려있어 무거웠고 조금 피곤한 상태였지만 더 피곤한 상황이 올 것 같았기 때문이었다. 피하고 싶었다. 하지만 그때 나는 정말로 괜찮았다. 단지 되도록 빨리, 그의 곁을 피하고 싶다고 생각할 뿐이었다. 그런 생각을 조금 더 할 새도 없이 나는 그의 손에 들린 우산을 받아 잘 가라고 인사했다. 몇 걸음 지나서 뒤를 돌아보니, 그의 왼쪽 어깨가 흥건히 젖어 있었다.

그것은 어딘가 모순되어 보였다.

버스 의자에 자리를 잡자마자 나는 잠이 들었다.

이상향을 그리는 그 세계에서, 나는 우산을 접고 그의 집으로 발길을 옮기고 있었다. 차츰차츰 가까워져 가는 익숙한 공기가 좋은 건지 나쁜 건지 판단되지 않았다. 하지만 공기는 내가 그러든지 말든지 신경 쓸 일 아니라는 듯 점점 더 진해지고 있었다. 전에도 맡아봤던 향이었기에 거부감이 들지 않는, 오히려 조금은 그리운 그런 향이었다. 점점 더 진득해질수록 나는 그것을 찾고 있었다. 딱히 술을 마신 것도 아니었는데, 나의 오른손은 이 상황이 버거웠는지 비틀대는 몸뚱이와 그의 팔을 단단히 이어주었다. 단 한 방울의 알코올도 들어가지 않았지만, 그 세계에서 이미 나는 잔뜩 취해있었다.

*

　B가 갑자기 들어왔다.

　이번엔 꽤 빠르다고 생각하던 찰나에, 조금 속도를 낮춰 보이고 있었다. 나는 무엇도 보이지 않는 까만 공간 안에 있었고, 그 안에서 느낌만이 생생했다. 그 느낌은 솔직하고 담백했다. 거짓된 것 없이 있는 그대로 상황을 생생히 보여주고 있어 아무것도 보이지 않지만, 상은 정확했다. 보이지 않는 곳에서 나는 오히려 똑똑히 볼 수 있었다. 울퉁불퉁한 벽을 긁으며 그가 속도를 낮춰 내 안에 들어오고 있었다. B는 무언가를 찾는 듯해 보였다. 도로 나갔다가, 다시 들어왔다. 여러 번 문을 열었다 닫으며 자신이 원하는 물체를 찾는 듯했다. 그러고선 다시 한번 나갔다가, 들어왔다. 닫았다 열면 자신이 찾는 것을 볼 수 있으리라 확신하는 것 같았다. 또다시 한번 나갔다가, 들어왔다. 나는 그가 행하는 것을 있는 그대로 느꼈다. 그리고 조금 도와주고 싶단 생각이 들어 공간을 좁혀보았다. 그는 원하는 것을 찾기에 이전보다 수월해졌다고 생각했는지 깊이 탄식했고, 고개를 숙여 나를 바라보았다. 그의 눈이 목표 지점을 찾았는지 아까보다 조금 더 구체적으로 움직이기 시작했다. 삼분의 이 지점에서 아주 약간 꼬였고, 나아갈 때쯤 방향을 바꾸는 듯했다. 나는 돌아누워 생각했다. 이 터널의 끝이 보일 때 그가 찾는 것만큼 나도 찾을 수 있을까?

여러 번의 굴곡이 내 안에 들쑤시고 지나갔다. 어떤 때는 조금 높고, 어떤 때는 조금 낮았으며, 어떤 때는 급경사를 그린 포물선이 되었다. 포물선이 한번, 낮은 것이 한번, 높은 것은 두 번, 그리고 다시 한번 포물선이 두어 번 지나갔다.

그는 나를 바라보았다.

나는 눈을 떴다.

구역질

진한 선홍빛 묽은 액체가 그 공간의 조명을 받아, 짙은 보라색으로 물드는 걸 보는 순간 취해버렸다. 자신의 방향이 무엇인지 알지도 못한 채, 이렇게까지 하려던 건 아니었다고 스스로 되뇌면서 보랏빛으로 물든 그것을 입속에 털어 넣었다. 시계가 12시를 가리키는 걸, 손목시계도 계속 쳐다보며 앉아있었지만 어쩐지 일어나지지 않았다. 다리는 천근만근이 되어 내 몸과 따로 떨어져 있는 것만 같았다. 다시 손목시계를 보자, 시간은 12시 반 정도 흐르고 있었다. 붉은 스펙트럼을 가진 그것이 어떤 색인지 가늠이 가지 않았고, 온종일 겪었던 나무들과 사람들의 냄새에 섞여 향조차 알 수 없었다. 그런 것을 계속해서 밀어 넣었다. 상큼한 과실, 가지각색의 탐스러운 열매들이 한데 모인 그것이 무엇인지 알고 싶어 눈을 떠보고 애를 썼지만 그러지 못했다. 내 의지와는 다르게 예쁜 것에 물들고 동화되어 갔다. 나는, 스스로가 그렇게 되는 걸 알고 있으면서도 자꾸만 빠져들었다. 정신이 자꾸만 아래로 쳐져 가면서 내 얼굴은 붉은 조명을 받고 쓰러졌다. 어디선가 다른 이가 쓰러졌네.라는 이야기가 들린 것을 마지막으로 나는 보랏빛으로 변했다. 꿈조차 꾸지 않은 밤이 지나가고 따뜻함을 위장하는 그 공간에 갇혔다.

　해가 뜨는 것이 느껴져 머릿속으로 무언가 스쳐 지나가고, 나는 눈을 떴다. 앞에 B가 보였다. B는 내 머리맡에, 자신의 팔을 밀어 넣어 나를 받치고 있었다. 나는 그의 가슴팍을 바라볼 수밖에 없었다. 조용히 숨 쉬고 있었다. 그러면서도 무언가를 골똘히 생각하는 것 같았다. 그가 나를 받치고 있는 이 상황이. 이미 오래전부터 공간에 머물러 있었기에 그리 놀라진 않았지만, 이해가 가지 않았다. 그땐 마치 그가 무언가 결핍된 것처럼 나를 원하는 것 같았다. 이전과는 달랐다. 더욱더 강렬하게 어떻게 보면 시간이 지날수록 그가 나를 원하는 밀도가 달라지는 것 같았다. 미세하게 움직이는 숨소리에서 바라는 무게가 느껴졌다. 그리고 어떤 것이 되었든 강렬히 이끌린 내 모습에서 내가 느낀 것만큼 그도 끌렸겠다고 생각했다. B는 안경을 벗으면 눈가의 미세한 주름이 보였다. 잠자는 숨소리가 조용했다. 어젯밤 그 자신도 나만큼 많이 물들여졌는지. 얼마 전의 상황이 여실히 느껴지는 피곤한 모습이었다. 무언가를 계속 생각하며 바라고 있었다. 지난밤 내내 그려왔던 자신만의 세계에 나를 들여놓고서는.

　어쩐지 헛구역질이 나서 화장실로 향했다. 너무 많이 마신 탓일 거라고 지난 시간을 되짚어 보면서 손가락을 목구멍으로 집어넣어 보았다. 목젖을 건드리는 나의 가냘픈 손가락이 내 속을 건드려 흔들리고, 흔들리고, 무언가를 계속 뱉어냈다. 뱉어내는 것이 무엇인지도 모를 만큼, 순간 머릿속이 아찔해졌다. 눈가가 촉촉해지는 것을 느끼면서도 어딘가 마음에 들지 않는 것들을 뱉어내기 위해 애를 썼다. 그렇게 예쁘던 것들이 지저분하고 더러운 형태로 나타난 것을 보면서 스스로를 진정시켜 갔다. 그렇게나 예쁘던 것들이었는데.

전부 다 뱉어냈다고 생각하곤 이를 닦았다. 내 안에서 뿜어져 나온 위액에 이가 삭혀 드는 것 같은 기분이 들어 언짢았다. 솔질을 몇 번이나 반복하며, 그것이 좋지 않다는 생각은 하지도 못한 채 하얀 거품 속에 한 번 더 게워냈다. 기분이 조금 나아지는 것 같아 다행이라고 생각했다. 다행이다, 라고. 괜찮다, 라고. 그러고선 문을 열었다. 순간 머릿속으로 피곤함이 몰려와 잠들어 있는 B를 지나갔고, 나는 그 자그만 매트리스에 발을 올렸다. 쓰러지는 형태를 잡아내기 힘들 정도로 자연스럽게 그 공간에 누웠다. 그리고 그 순간 바스락거리는 소리가 들리며 잠시 기대고 있던 내 정신을 소스라치게 놀라게 했다. B가 화장실로 향했다. 방금 내가 속을 뱉어낸 그 공간에, 아무렇지도 않게 발을 밀어 넣고 문을 닫았다. 자신은 그런 것 따위 신경 쓰지 않는다는 듯, 문을 닫는 소리는 어딘가 딱딱해 보였다.

잘 잤니?

B가 누워있는 내 머리통에 다시 한번 팔을 들이밀며 한마디 했다. 별다른 대답은 하지 않았다. 나는 피곤했고, 내 마음은 굉장히 불안해져 있었다. 무언가가 나를 덮칠 것만 같았다. 가슴이 불안해져 떨리는 것만 같아, 나의 행동에 대해 되짚어 보았다. 적당한 이유를 곁들여가면서 과거를 거슬러 밟아봤다. 적당한 이유가 필요했다, 내 머리통이 기대어 있는 공간이 여기라는 것에. 어떤 것이 덮쳐지든 그와 상응하는 이유를 찾아야만 했다. 불안했다. 내 마음에 들지 않는 것들이 마음에 드려 애를 쓰고 있었다. 그것은 계속해서 옳은, 정당한 모양새를 갖춰가며 변하고 있었다. 이유가 되는 모양새. 그런 생각들이 계속 들어 어쩐지 무언갈 해야 할 것만 같았다. 나는 착한 아이가 되고 싶었다. 그 공간 안에 가장 걸맞은 일을 해야겠다고 생각했다. 또한 그렇게 하지 않으면 그 상황이 정당해지지 않는 것만 같았다. 그러는 사이 그의 숨이 내 코끝에 닿아 있는 것을 느끼며. 나는 벗겨져 나갔다.

차가운 공기가 가슴에 닿아 따뜻함을 원했지만, 그의 손은 따뜻하지 않았다. 당연하다고 생각됐다. 그가 그리는 하나의 행태에 지나가는 것일 뿐, 나의 가슴은 조금의 의미도 되지 못했다. 차가운 손가락이 스쳐 지나가고. 그렇게 깊이 따뜻함을 바랐지만 역시나 다다르지 못했다. 아니 처음부터 오지 않았던 것일 수도 있다. 올 수 없었다. 내가 바라는 것만큼 그 공간은 변화하지 않았다. 그리고 그 공간 안에 B가 있었기에 그 기를 받은 차가운 손가락이 있었던 것이겠지. 어쩔 수 없다고 생각하며 내 자그만 구멍을 해쳐 들어오는 차가움을 느꼈다. 있어야 할 곳에 있는 차가운 물체였다. 어쩐지 더더욱, 얼음장 같은 차가움이 생생히 느껴지며 아랫도리가 시려졌다. 그 느낌이 무섭고 견디기 힘들어 몸을 뒤틀었고 내 몸이 뒤틀려지는 대로 순순히 그의 손가락이 빠져나갔다. 그도 그다지 바라지 않았던 것처럼 순순히 내가 왜 뒤틀려졌는지도 모르면서 빠져나갔다.

아프면 얘기해.

아팠다. 어쩐지 내 몸과 걸맞지 않은 것이 나를 향해 불쑥 찾아들어 오는 듯한 느낌이 들었다. 들어맞지 않는다는 걸 알면서도 억지로 꿰맞추려는 것처럼 부자연스러웠다. 그것도 애를 쓰는 것 같았다. 꿰맞춰 보려 계속해서 들어왔다. 어느 정도 이상적인 형태에 도달하기 위해 계속해서 변화하는 듯했다. 하지만 변화하는 이유 안에 나는 없었다. 그것이 내 눈에 보였다. 처음부터 느껴졌던 것은 아니었지만 그 순간만큼은 확실히 느껴졌다. 그가 애를 쓰는 이유에 나 자신은 없었다. 이미 벌어지고 있는 상황에서 어찌할 바를 모르고 허둥지둥하며 돌려졌다. 그리고 돌려지며 바라본 벽에서 그것이 공허한 내 공간에 자리를 틀고 나가지 않고 있다는 것을 알았다. 그는 자신의 이상적인 형태를 찾아보려 이기적인 것도 모르는 채로 무작정 변해갔다. 몇 번이나 그렇게 휘저어 갔다. 어느 정도 자신의 맘에 드는 이 정도면 됐다는 공간이 나왔는지 아까와는 조금 다른 모습이었다. 긁어 헤집으며 집착적이라고 느껴질 만큼 휘저었다. 보랏빛으로 변한 나 자신이 마음에 들었는지

처음에 만났던 손바닥과는 다른 무게감으로 나의 엉덩이를 집어 쥐며 그가
바라는 것에 나의 절망을 더해줬다.

밖으로 나와 새벽녘에 차디찬 바람을 그대로 쐬며, 아까보단 덜 차갑다
고 생각했다.

교만

    텅스텐광이 번쩍이는 화사한 공간, 벽은 하얗게 칠해져 있어 조명 빛을 그대로 받고 있었고 원래 백색이었는지 아님 아이보리 색이었는지 가늠이 되지 않을 만큼 노랗게 변해 있었다. 연인들에게 잘 어울릴 법한 분위기가 음식 맛도 좋게 해 줄 것 같은 곳이었다. 문을 열고 우리가 들어서자, 단체 일행이세요? 라고 묻는 종업원이 있었고, 그 종업원은 가장 안쪽에 있는 테이블에 일행이 있다며 가볍게 안내했다. 높은 천장에 반짝이는 반딧불 모양 조명, 크리스마스가 다가오긴 다가왔다고 생각하며 발걸음을 옮겼다. 높은 힐을 신은 내 발은 옮길 때마다 신경질적으로 삐걱거리는 소릴 내며 있는 대로 긴장감을 드러내고. 그런 것이 직접적으로 느껴지자 나도 모르게 일행의 손에 힘을 쥐게 되었다.

    이윽고 문도 없이 벽 하나만으로 분리된 공간이 보였다. 높은 천장에 금색으로 반짝이는 줄이 매달린 풍선이 있었고 풍선은 가지각색으로 빛나고 있었다. 그 가게의 텅스텐 빛을 반사해서 각자의 색을 뽐내는 것 같았다. 공간이 참 예쁘게 빛나고 있었다. 한가득 별을 담고, 사람들과 흥에 걸맞은 분위기를 맞춰주고 있었다.

어, 잘 찾아왔네?

별로 어렵지 않더라고.

옆엔 일행? 남자친구? 일행 있다더니 남자친구랑 오는 거였어?

B가 그를 발견하고 인사했다. 몰랐던 사실을 알게 됐을 때 드는 당혹스러운 얼굴이었다. 전혀 예상하지 못했다는, 당혹스러움 외에도 여러 가지 생각이 머릿속을 맴도는 것 같았다. 그의 표정은 호기심으로 가득 차 있으면서도 그렇지 않은 척 연기하고 있었다. 자기 생각을 등 뒤로 숨기려는 듯 갑자기 두 눈에 빛깔이 달라지고. 자신의 호기심을 남들과 같은 모습으로 위장하려 했다. 그래서 그의 표정은 이내 태연해질 수 있었다. 애초부터 당황하지 않았던 건지, 뒤통수를 맞았다는 생각 따윈 느껴지지 않는 태연 함이었다. 그가 웃는 얼굴로 일행이 남자친구였냐는 질문을 했을 때, 많은 생각을 감춘 그만의 태연함이 여실히 드러났고. 순간 나는, 그 재수 없음에 뇌가 구겨지는 듯한 느낌이 들었다. 바로 앞에서 침이 튀어나오려는 것을 애써 참고. 나 역시도 그와 마찬가지로 온갖 생각을 접어둔 채 웃는 얼굴로 그와 대화했다. 그 대화에서 나는 그가 나를 멸시하고 있다는 걸 느꼈다.

그리고선 자리에 앉아 잔에 채워지는 예쁜 빛깔의 액체들을 바라보고, 진한 과실의 달콤함을 맡았다. 그 밤의 빛나는 조명들과 함께 예쁘게 출렁이는 선홍빛의 액체가 둥글게, 유리 벽을 훑고 제각각의 향을 내뿜는 걸 보았다. 유리 벽이 방금 선홍빛 액체가 지나갔다는 듯 얇게 코팅되었고 나는 그것에 코를 박았다. 그리고 콧속으로 들어오는 달콤한 과일들을 있는 힘껏 느끼며 한 차례 몸속을 게워 냈다.

그 사람은 내가 우스워 보였던 걸까?

토마토소스로 요리한 파스타와 간단한 피자가 나왔고, 그 음식들은 먹음직스러워 보였다.

나는 꿈틀거리는 신경을 내려놓았다. 손가락 마디 하나하나가 떨려 포크와 나이프를 쥐고 있을 땐 말 한마디 하지 못했다. 오로지 평정심에 집중하느라 다른 것들은 신경 쓸 수 없었다. 같이 온 일행에 대해서도 앞에 놓여 있는 만찬을 서로 챙겨주며 여러 번을 접시에 덜었지만, 시간이 지나도 긴장은 풀리지 않았다. 그 사람이 느끼는 일반적인 긴장감과는 다른, 아니 그 자리 누구도 느낄 수 없었던 긴장감이 있었다. 애써 웃고 있는 입꼬리와 즐거워 보이는 웃음소리는 이상해 보였다. 사람들은 느낄 수 없었을 테지만 그 순간 이미 내 위장은 기름기 가득한 피자와 진한 포도 향으로 뒤틀려 있었다. 장 속에 들어가는 것이 버겁다는 듯 계속해서 꾸르륵, 소리를 내며 배가 고팠지만, 많이 먹지도 못하게 했다. 쌓이고 쌓여 속만 안 좋게 만드리란 걸 알았는지, 내 몸은 생각을 읽고 내 자신을 배려해 보았다.

이런 사람은 어디서 찾아낸 거야?

서로 술 좋아하다 만났지요, 인연이 독특했어요.

B는 나란히 앉아 식사하는 우리를 맞은편에 두고, 의자에 손을 얹어 몸을 기댔다. 우리 쪽을 바라보았다. 그때, 그 사람의 두 눈은 무언가를 찾고 있었다. 혹은 알고 싶어 했다. 진심으로 궁금했던 걸까, 나의 뻔뻔스러움에 대처하는 그 사람만의 뻔뻔스러움이었을까? 당황한 기색이 역력했던 잠깐의 시간은 잊었는지 생각을 다잡고 물어보았다. 그는 꼭 사람에 대해 알고 싶어 할 때 그런 눈빛을 하고 있었다. '네 안을 들여다보고 싶다', 목표물을 정확히 알고 잡으려 하는 동물과 닮았었다. 무엇이 그리 알고 싶은 건지, 모든 걸 뒤집어서 까보고 싶어 하는 욕망이 보였다. 그 자신도 알지 못하는 어쩌면 스스로 내뿜는 본능적인 것.

아마 그의 질문은 단순한 '응수'였을 것이다.

네가 사귀자고 했지?

이전에 본 적이 있었던 눈빛이라고 생각했었다, 그건. 함께 있는 자리에서 내가 누군가에게 명함을 건넬 때의 눈빛이었다. 나는 이전에 느꼈던 치욕스러움이 생각나, 욕지거리가 나오는 걸 애써 참아보았다. 그 질문에 당황해서 말끝을 흐리다 끝내 대답하지 못하고. 생각만 했다. 내가 사귀자고 했냐고? 그 질문은 사귀자고 제안하는 나를 희롱하는 질문이었다. 그는 여러 말로 돌려보다가 결국엔, 본심을 드러내 버리고 말았다. 갖은 어휘와 실력으로 다져진 말이 다 무어라고, 결국 자기 자신도 본심을 감추지 못할 것을. 그는 무슨 자신감으로 내게 그런 말을 했을까. 그렇게 질문을 듣고 5분 정도가 지난 뒤에야 나는 정신을 차리고 그 말의 의미를 곱씹어 보았다. 그는 착한 척을 하는 것도 아니었고, 순진한 척을 하는 것도 아니었다. 그저 자신의 이성과 본성에 솔직했을 뿐. 미처 감추지 못하는 본성을 말로 뱉어버리고. 스스로가 드러냈다는 걸 알지도 못한 채 입을 벌리고 있었다.

그래도 제가 남잔데, 제가 사귀자고 했었죠.

B는 조용히 의자에서 손가락을 떼고, 그는 내 접시에 음식을 덜어주고, 나는 그 음식을 먹었다.

식사를 다 마치고 일어난 시각이 10시 30분.

헤어지는 사람들 속 B의 등이 보였다.

인사

어어, 다은이네! 진짜 오랜만이네. 이야.

B는 넉살 좋은 웃음으로 여느 때와 다름없이 나를 반겨주었다. 주변엔 기름진 음식과 맛있어 보이는 고기가 놓여 있었고 새빨갛게 빛나는 와인도 있었다. 이미 몇 병이나 해치운 모양이었다. 잔에서 마지막 일렁임이 찰랑 거리는 순간, 얼굴도 모르는 사람들은 너도나도 신이 나 몇 번이고 포크를 들었다 놓기를 반복했다. B의 옆엔 그의 절친한 친구인 J도 있었는데, 그는 내가 B와 함께 섹스했단 것을 아는지, 그게 그리 좋았던 일은 아니라는 걸 알고 있는지 내 얼굴을 보곤 한마디 인사도 하지 않은 채 고개를 돌려버렸 다. 나머지는 전부 모르는 여자들이었다. 하지만 웃는 모습이 예쁘고 머릿 결이 찰랑거리는 여자들. 그녀들의 긴 다리가 흔들거리는 것이 보였다.

왜 이제 왔어.

그가 웃으면서 말했다. 나와 단둘이 있을 때의 표정과는 전혀 다른, 살가운 미소가 어린 표정. 시간에 늦은 것을 말하는 것이 아니었다. 그는 때가 늦었다는 의미로 나의 긴긴 부재를 원망했다. 그동안 어디서 뭘 한 거야? 라는 듯이. 내 몸뚱이를 다 기억하는 게 뻔했다. 그렇게 뱀 같은 눈빛으로 쳐다볼 것을 뻔히 알면서도 꿈속의 나는, 알고 보니 벌써 며칠 전부터 그를 만나기 위해 먼 길을 걸을 준비를 했었다. 무슨 결심 때문인지 생각할 시간조차 준비되지 않은 깊은 꿈속. 이미 나는 B의 앞에 나타나 눈앞에 벌어진 상황에 맞닥뜨려야 했다. B가 내 쪽으로 방향을 틀었다. 어서 자리에 앉으라는 투로 나를 재촉했지만, 자리에 앉은 여자들이 내가 온 것을 아직 모르는 것으로 보여 지금 돌아가야겠다고 생각했다. 나는 곧바로 뒤를 돌아 발걸음을 옮겼고 그 장소에 나타나 B와 B 주변에 있는 사람들을 본 것을 후회했다. 순간 벌거숭이가 된 채로 뛰는 듯한 느낌이 들었다. 그녀들은 아직도 내가 온 것을 모르고 있었다.

나는 눈물을 흘렸다. 다신 보지 말아야 할 끔찍한 광경을 본 듯했다. 오한이 들고 두 다리가 떨려 아무 벽에나 기대 주저앉아 버렸다. 작은 손으로 눈을 가리고, 눈물을 닦으며 흐느꼈다. 그 자리에 나타났으면 안 됐는데, 우연이라도 마주쳤으면 안 되는 일이었는데, 왜 내가 그와 마주치게 됐을까. 긴 시간 머리가 어떻게 됐길래 그와 만날 자리에 나타나게 된 걸까. 나는 그런 생각을 하며 왜 다시 만날 생각을 하게 됐는지 계속해서 흐르는 눈물을 닦았다. 그때,

여기서 뭐 해?

그가 내 앞에 마주 섰다. 그러고는 내 발자국을 보고 찾아왔는지 나를 발견하고는 어디 갔었냐, 왜 갔냐, 여기서 무얼 하느냐는 질문을 던졌다. 나는 그때까지도 눈물을 다 닦지 못했지만, 그는 모르는 듯했다. 날이 어두운데다가 가로등 하나밖에 없는 길거리라 그런 거겠구나 하고 생각이 들었다, 그런 생각을 하고 맞닥뜨리고 나니 흐르던 눈물들은 당황해서 갈 길을 잃었

는지. 내 얼굴엔 아무것도 남아있지 않게 됐다. 전부 다 메말라 있었다.

그가 내 바지를 끄르고 난 뒤 자기 바지도 끌렀다. 날이 춥다는 것도 덥다는 것도 느껴지지 않는 평이한 온도의 공간, 밖임에도 불구하고 바닥이 까슬거리지도 않았다. 사타구니가 바깥공기와 만난다는 것만 느껴질 뿐이었다. 어쩜 그럴 수 있는지. B가 손가락으로 내 배를 어루만지더니 이내 가슴 한쪽을 콱하고 움켜쥐었다. 뺨과 귀 사이에 입술을 대고, 조금조금 살며시 그렇게 나와 가까워지더니 이렇게 말했다.

그때처럼 조여줄래? 좀만 더.

C

나는 어쩐지 답답한 마음이 들어 거리로 나왔다. C의 목소리와 똑 닮은
그 노래를 들으면서 달리기 시작했다. 아무도 없는 거리. 달리다 보니 멈출
수가 없었다. 눈물이 나왔다. 너무너무 좋아한다고 한 번이라도 말할 수 있
다면, 그러면 좋겠다고 생각했다. 한차례 정신없이 달리다 보니 조금 진정
이 됐다.

술

　퇴근을 일찍 해서 먼저 도착한 역사, 의자에 앉아 30분 정도 기다리고 있었다. 어쩐지 지루해져 음악을 연달아 듣고 있는데 때마침 버스커버스커의 여수밤바다가 흘러나왔다. 버스커버스커의 앨범을 듣자마자 누가 먼저랄 것 없이 여수밤바다가 가장 좋다고 입을 맞추었었다. 모든 것을 놓고 낭만을 노래하는 그 느낌이 좋아, 나도 어쩐지 여수에 가면 저런 낭만을 누릴 수 있을 것 같다고 얘기했었다. C는 오랜만에 바다가 보고 싶다고 했다. 나는 작년에 그 바다를 갔다 왔었다고, 그곳 게장이 진짜 끝내준다고. 둘이 먹다 하나가 죽을지도 모른다며 여수는 이 노래가 없어도 충분히 가볼 만한 곳이라고 극찬했었다. 여수, C랑 가면 정말 좋을 것 같다고 생각했던 것 같다. 가면은 밤바다 보며 구운 옥수수도 먹을 수 있겠지, 그러면 참 좋을 텐데 하며.

　그런 생각을 하고 고개를 들었는데 눈앞에 그가 놓여있었다.

너 무슨 일 있냐?

허, 언제부터 거기 계셨어요?

한 5분? 누가 보면 너 사연 있는 여잔 줄 알겠다 야.

그때의 난 꽤 서글픈 표정이었나 보다. 하긴 누구라도 저런 생각을 하다 보면 표정이 굳어지겠지, 누가 보아도 그때의 내 모습은 비련의 여주인공이 었을 것이다. 그런 모습을 들켰다고 생각하니 어쩐지 얼굴에 열이 올랐다. 꽤 오랫동안 언제 쳐다보나 물끄러미 내 모습을 관찰했다던 그는 내게 무슨 사건 생겼냐고 다시금 물어봤고, 난 그런 거 없다며 손사래를 쳤다. 그냥, 좀 오래 기다리다 보니 지루해져서 표정이 그래 보였던 것 같다고 설명했다. 그러고는 여수가 가고 싶다고. 이번 여름엔 여수에 가야겠다고 얘기했다.

나도, 여수 가고 싶어.

*

자리를 옮기기 위해 밖으로 나오자, 비는 계속해서 내리고 있었다. 아니, 퍼붓고 있었다. 주변 소리는 크게 들리지만 바로 옆의 소리는 잘 들리지 않 는 그런 비였다. 비는 사람과 사람 사이를 가로지르며 시원하게 내리고 있 었다. 인근에 괜찮은 술집이 생겼다며 그곳으로 가자던 C와 나 사이에도 그 시원한 비가 내렸다. 목요일 밤의 거리였지만 사람들은 매우 많았고, 각자 가 비를 피해 자리 잡을 곳을 찾고 있었다. 우산을 받치고. 오늘은 누가 봐 도 맥주를 마시기에 제격인 날이라며 말하는 것 같았다. 그래, 나만 이 빗속 에서 청승 떨며 거리를 걷고 있는 게 아니겠지, 라고 생각했다. 고개를 들자, 그는 우산 하나가 더 낄만한 거리에서 앞질러 가며 그 술집이 어디 있는지 찾고 있었다. 그 모습을 보니 어쩐지 웃음이 났다.

조금 걷자, 누가 봐도 신설인 것 같은 술집이 나타났다. 그곳은 세련됐 다. 허접스러운 골목에서 자그마하게 빛나는 간판은 주옥같았으며 조명은

낙낙하고, 탁자는 반질거렸다. 자리를 잡으니, 허리를 반쯤 숙인 종업원이 다가와 세련된 미소로 주문하시겠어요?라고 외쳤다. 우리는 다이어트에 훈제오리가 좋다며 말도 안 되는 안주를 주문하고, 가볍게 웃고. 그러고는 어묵탕도 추가로 주문했다. 나 아직 저녁 못 먹었어, 그럼 다 드셔야 돼요라는 대화로 웃어넘기며 부추 삼겹살도 추가했다. 세련된 종업원이 손가락을 빠르게 움직여 가며 받아써 가는 사이, 나는 가장 중요한 것이라는 듯 술이라는 음절에 힘을 담았다. 그는 다시 한번 웃었다.

네가 다 마셔야 한다.

걱정 마요, 다 마실 거니까.

이번 주에 시간 되냐고 물어본 것은 나였다. 오늘은 좀 마셔야겠다고, 마시지 않고서는 못 배기겠다며 한탄했다. C는 뭐, 그러냐는 식으로 그래, 그럼 마시지 뭐 하고 수긍했다. 다른 이유는 묻지 않았다. 실연당하고 마음이 허할 때마다 으레 불렀으니. 이번에도 뭐 그런 일이겠다고 생각하는 눈치였다.

저 아까 그냥 가려고 생각했었다니까요?

넌 진짜 그랬으면.

그를 만나기 전 역사의 내 모습은 역시 이상했다. 어딘가 부자연스럽고 엉덩이에 가시가 돋친 듯, 누가 봐도 어리숙해 보였을 것이다. 나 역시 그러했다. 내가 대체 왜 이곳에서 보자고 한 건지 나도 이해할 수 없었다. 그러고는 트랙이 넘어가는 순간마다 후회하며 언제 이 자리를 떠야 할까 고민하기도 했다. 그 모습은 달걀 위에 올라간 것처럼 불안정했다. 비가 내리는 거리를 걸을 때도 몇 번이나 돌아갈까 생각했다. 이런 구질구질한 모습은 이제 그만 보여줄 때도 된 것 같은데, 그가 질려하진 않을까 걱정이 돼서일까. 나는 조심스러워하며 몇 번이나 물러섰다.

연하디연한 소맥을 두 번 연달아 들이키는 내 모습은 그런 점에서 굉장히 아이러니했다. 잘 섞인 술이 식도를 타고 꾸역꾸역 잘도 들어간다고 생각했다. 식도가 꿈틀거리며 넘어오는 잔을 받아내길 여러 번, 오히려 거저 먹기라는 듯 아이러니함에서 힘을 얻은 듯해 보였다. 도움닫기로 제격이었을지도 모르겠다고, 어쩐지 수긍이 갔다.

스스로가 한심하다고 느껴져 포기한 건지도 모르겠다고 생각할 때쯤이면, 그는 적당히 맞장구쳐 주며 나를 안심시켰다. 그것은 이렇다 할 조언이 아니었다. 하지만 어쩐지 그 말들은 힘이 있었다. 나무의 결을 찾아내듯 별다른 것 없이, 토해내면 몇 번이고 쓸어내렸다. 딱히 매끈하진 않았지만, 그것은 이상적인 형태로 자리 잡곤 했다. 나의 말은 몇 번이고, 그가 적당히 맞받아치면 결이 되었다.

하지만 그럴수록 알코올은 끊임없이 들어왔다. 무엇에 갈증이 난 건지 스스로 물어보지도 못한 채, 별다른 안주는 먹지도 않고 연달아 마셔댔다. 그러고 있으니 생각나는 싫은 얼굴. 이야기. 시시껄렁한 헤어진 남자친구 얘기를 하고 있자니 구역질이 나는 것 같아 일은 좀 어떠시냐며 물어봤다. 피하기보다는 자연스럽게, 나는 그 순간에도 이전에도 시시껄렁한 남자친구보다는 C가 하는 일에 대해 더 관심이 많았다. 그렇게 이런저런 대화와 술이 오가는 도중 갑자기 익숙한 벨 소리가 울렸다.

어, 여기 찾아올 수 있겠니?

그의 여자친구가 오고 있었다.

초밥

휴가 끝자락 즘, 자주 보는 그 장소에서 C를 만났다. 어디 놀러 가진 않느냐고 묻자, 여자친구가 생리 기간인지 자꾸 워터파크에 가는 걸 피한다며 겨우 생긴 휴가 기간을 생으로 날릴 것 같아 아쉽다고 말했다. 뭐, 꼭 워터파크가 아니더라도 휴가 때 갈만한 곳은 많지 않나. 그는 여자친구와 어딘가를 갈 계획을 짠다는 게 어렵다고 했다. 그러고선 되려 나에게 그렇지 않냐고 반문했다. 자기는 아직 그런 거 챙길 머리공간이 남아있지 않은 것 같다고, 그리고 프로젝트 맡아서 하다 보니 시간은 이렇게 가 있더라고 했다. 나는 그 질문에 대해 잠시 생각했다. 적당히 대답할 만한 단어를 되짚다가 무언가 할 말이 생겨 문장을 내보내려는 순간, 그가 이번에 한 프로젝트의 일부를 이야기하기 시작했다. 나는 그 이야기를 듣는 걸 좋아했다. 그가 자신이 한 작업물에 관해 얘기할 땐 나도 얻을 것이 많아 흥미진진했기 때문에, 그런 이야기가 나올 때쯤이면 자연스럽게 귀 기울이게 됐다. 그는 그걸 노린 것 같았다. 여자친구와의 이야기는 별로 물어봐 주길 바라는 것 같지 않았다.

저녁 안 드셨죠? 뭐 먹고 싶어요?

글쎄다. 초밥?

뭐 맨날 초밥이래, 그래요, 가요.

초밥뷔페는 적당한 가격에, 적당한 질의 음식을 내놓고 있었다. 여기 괜찮지, 라며 물어보는 그에게 맛있는데 많이 못 먹어 아쉽다고 했다. 순간 밥 먹으러 갈 장소를 정할 때마다 초밥을 이야기하던 그가 생각나, 나도 모르게 웃음이 났다. 어쩌면 여자친구보다 초밥을 좋아할지도 모르겠다고 생각했지만, 물어보진 않았다. 그는 초밥을 먹을 때에도 회사에 함께 있는 다른 사람 이야기나, 지나간 프로젝트들을 이야기하고 있었기 때문에, 나는 적당히 맞장구를 쳐주며 다시 한번 경청하게 되었다. 진행했던 프로젝트는 기업의 아이덴티티에 굉장히 도움이 됐을 것 같다고, 멋진 작업물이라고 얘기하며 접시는 3번째 치워지고 있었다. 그의 아이패드에는 그런 작업물들이 가득 채우고 있었다.

남은 음식 몇 가지와 음료를 마시며 아이패드를 뒤적이는데, 그가 대뜸 사진첩을 보여줬다. 저번에 갔었던 한 레스토랑인데, 가격 대비해서 엄청나게 맛있었다고. 사진에는 맛있어 보이는 등심 스테이크와 분위기 있는 조명의 실내장식이 있었다. 그리고 음식보다는 그 여자애가 좀 더 높은 비율을 차지하고 있었다. 얘도 좋아하더라, 괜찮았어. 그는 주말에 멀리 나가지 못해 미안해서 그 레스토랑에 간 거라고 설명했다. 그러면서 맛있게 먹어줘서 고마웠다고, 다행이었다고 했다.

다음엔 초밥 말고 여기에 가자.

인근에 있는 바는 많았지만, C는 굳이 자주 가는 곳을 가야겠다며 이동하고 있었다. 지하에 위치한 그 바는 굉장히 어두웠지만 낯설진 않았고, 음악은 보사노바풍으로 너무 시끄럽지 않아 좋았다. 바 테이블에서는 한 남자가 바텐더와 이야기하며 칵테일을 마시고 있었다. 나도 집 앞에 이런 공간이 있다면 참 좋을 텐데, 라는 생각을 하며 그가 고른 장소에서 그가 추천하는 칵테일을 선택했다. 도수는 조금 높은 것으로.

잠시 후 조그만 잔의 칵테일이 나왔고, 당연히 마음에 들었다. 얼음이 찰랑거리는 시원한 잔소리와 알싸하게 넘어가는 목 넘김이 좋았다. 그가 자랑하는 아이패드를 구경하다, 친구나 다른 사람 이야기를 하며 한가한 토요일의 시간이 지나가고 있었다. 나는 같은 칵테일로 3잔을 마시게 됐고, 그는 어린아이 같은 칵테일을 마시면서도 벌써 취해있었다. 평화롭고 안정적인 상황에서 가슴의 따뜻함이 몇 번이나 울렁이고, 나는 나올 듯 말 듯 한 말을 열댓 번쯤 삼켰다.

말하지 않은 게 있어요.

뭔데?

청계천

여기 맛있죠.

맛있는 음식과 막걸리 몇 잔에 벌써, C의 얼굴은 주홍빛으로 변해가고
있었다. 술을 못 마시는 사람이라고는 생각했지만, 예나 지금이나 그대로였
다. 그는 잦은 회식으로 주량이 많이 늘었다고 했다. 처음 만났을 때하고 다
르다고 손사래를 치며 이젠 많이 마실 수 있다고, 하지만 그 말이 거짓말이
라도 되는 듯 그는 급격하게 취해 있었다. 아마 의지와는 다르게 취해가는
거겠지, 라고 웃으며. 간이 안 좋아서 그래요. 많이 마시면 안 되는 거죠, 라
고 운을 띄웠다. 그런데도 그는 계속해서 부정했다, 취한 거 아니라고. 그러
고선 홍합탕에 있는 칼칼한 국물을 한술 떠, 이거 맵다, 라고 말했다. 그 국
물은 느끼한 안주와 막걸리 사이에서 도움닫기 역할을 하는 음식이었는데,
적당한 칼칼함에 오랜 시간 끓인 듯한 맛이 맘에 들어서 나도 무척 좋아했
다. 막걸리를 마시기에도 좋고, 소주와 마셔도 괜찮겠다는 생각이 들었다.

그래서 막걸리 몇 잔으로는 어쩐지 좀 아쉬워 소주는 어떻겠냐고 물어봤지만, C는 더 마시면 안 될 것 같다며 분위기를 깼다. 나는 지금 마시면 딱 맞는데, 안주야 더 시키면 되고. 라며 조금 아쉬워했다. 이미 주홍빛으로 변해가는 그 사람의 얼굴이 바로 앞에 있어 어쩌겠냐만. 그래도 아쉬운 건 아쉬운 것이었다. 그래서 나는 결국 취하지도, 취하지도 않은 상태에서 그가 취해가는 모습을 바라볼 수밖에 없었다. 젓가락질이 위태롭게 반찬을 덜어내는 장면을 눈으로 좇으며, 어쩐지 긴장되어. 내 몸속의 알코올은 급격하게 분해되고 있었다. 그 기분은, 꽤 괴로웠다.

여자친구랑은 잘 지내세요?

글쎄다, 하며 말을 꺼내는 그는 잘 모르겠단 표정을 드러냈다. 그러고선 헤어졌어, 힘들더라고. 하고 대답했다. 나는 그럴 것 같았어요. 라고 받아치며 한껏 웃어 보였다. 그는 자신을 너무 사랑해 주는 여자친구의 존재를 이해하기 힘들다고 말했다. 그녀가 헤어지자고 했을 때 붙잡는 것이 이해가 가지 않는다고, 자신이 봐도 잘해주지 못하는 것이 눈에 뻔히 보이는데. 하며. 그를 사랑하는 그녀의 마음을 부정했다. 그녀가 C에게 기다린다. 괜찮다. 고 이야기해 줬다고, 자신이 바라는 것은 그게 아니라고 이야기했다. 그녀 앞에서는 좀 더 진실하게 부정했으리라. 그게 나에게 느껴질 만큼 그의 허황한 마음은 걷잡을 수 없이 분해되어 있었다. 아마 그녀로서는 어떻게 할 수 없는 부분이었겠지, 그건 그녀의 잘못이 아니다. 단지 그가 아직 누군가를 받아들일 준비가 되지 않았을 뿐. 그건 그녀의 잘못이 아니었다. 그리고 그런 C와 사귀며 헤어짐의 순간을 만나게 되는 건 시간문제라고, 나는 그가 그녀와 사귀기 시작할 때부터 어렴풋이 짐작하고 있었다. 어쩌면 당연한 결과였을 수도 있겠다.

사실 나는 그 안에 공간이 남아있지 않다는 걸 알고 있었다. 알 수 없는 깊은 외로움을 채워 줄 무언가를 찾기 위해 끊임없이 생각하고 작품으로 만들어 내는 사람이다. 아마 사랑으로는 한 번도 하지 못 해 봤겠지, 나는 그것을 느낄 수 있었다. 그래서 더욱 열심히 작품을 만들고 빈 곳이 느껴지지 않게끔 보고 생각하는 행동을 했으니까. 자신도 모르게 서서히 그녀가 들어설 공간을 무너뜨려 왔을 수도 있겠다고 생각했다.

그러다 문득, 사실은 처음부터 그 공간은 없었던 게 아닐까? 라는 생각이 들었다. 그런 생각이 들 만큼, 그는 사랑에 헤매고 있었다. 벌게진 얼굴을 마주한 내게 똑똑히 보일 정도로.

저기, 청계천 가서 한 잔 더 해요. 어떤거 드실래요?

어 나는. 삿포로.

청계천으로 가는 길목에 위치한 작은 편의점에서 맥스 한 캔과 삿포로를 집어 들고 간단히 계산했다. 딸랑, 거리는 소리가 꽤 경쾌하게 울려 맥주를 마시기도 전에 벌써 속이 시원해지는 기분이었다.

우리는 아직 걷기 좋은 초저녁의 가을바람을 느끼며 물 주위를 걸어보았다. 주변의 사람도, 어두움도 적당히 내린 저녁이었다. 시간은 6시 반 정도를 가리키고 있었고, 때에 어울리는 은근한 고요함이 머물렀다. 작은 강과 적당한 어두움이 만들어 낸 거리를 함께 걸으며 이런저런 우스갯소리를 했다. 그리고 그 우스갯소리와 깔깔거리는 명랑한 목소리가 강 주위의 바람을 가로질렀다. 내가 캔맥주 한잔 들고 여길 걷는 걸 좋아한다고 말하자, 그는 그러게, 괜찮네. 하며 웃어 보였다. 어정쩡하게 취한 나하고는 달리 적당히 취했겠다, 바람도 살랑살랑 불겠다. 꽤 맘에 들어 하는 눈치였다. 그 모습을 바라보며 더욱 빨리 알코올에서 깨는 내 입장은 생각하지도 않고.

굴다리 아래에 위치한 작은 바위에 앉았다. 바위는 울퉁불퉁한 와중에도 앉을 자리는 미리 마련해 놓았다는 듯, 평평한 이면을 갖고 있었다.

맥주 한 캔과 적당한 밤공기와 어울리는, 잠시 쉬었다 가기엔 딱 좋은 자리였다. 여기에서 좀 더 이야길 하는 게 어떻겠냐고 물어보는 것 같았다.

그래서 나는 고요한 그 공간이 맘에 들어, 그를 옆에 위치한 바위에 앉혔다.

만나는 사람마다 의미가 되어주지 않아요, 지나갈 뿐이죠.

의미가 되지 않아?

네, 뭐. 저도 똑같아요. 제대로 된 사랑이라 할만한 게 없던 거. 어렵죠, 참.

그렇게 말하고선 한마디 더 붙였다.

이런 시간이 있어서 다행이에요.

영광이네.

그런 대화를 할 때쯤, 맥주 한 캔은 금세 비워졌다. 어쩐지 취하는 것으로 취한 상태를 날려버렸단 기분이 들었다. 갑자기. 가을바람이 생생하게 느껴지며, 이전의 몽롱함이 사라지는 게 아쉬워졌다. 나는 남아있지 않은 캔맥주와 다음 약속을 괜히 원망해 봤다. 하지만 내가 원망하는 것은 아무것도 아니라는 듯, 비워지고 지나갈 것은 지나가기 마련이었다. 굳이 손을 쓰지 않아도 변한다 해야 할까, 아니면 변하는 것에 손을 쓸 수 없다고 표현해야 할까?

그는 헤어지는 순간까지 술에 취해 있었다.

없던 일

오늘 기분 좋다, 2차 가자.

여기 곱창이 맛있다며, 원래 가자던 곳을 미루고 들어갔다. 2인분을 참 느긋이도 먹으면서. 그 사이에 소주 2병을 비우는 동안 한참을 깔깔거리며 담소를 나눴다. 우리는 만날 때마다 뭐 그렇게 할 말이 많은지. 얘깃거리가 몇 번이나 바뀌었는데 세상살이 힘들다는 것부터 회사 험담까지 참 다양했었다. 항상 그러긴 했지. 너, 우리 회사 들어와라. 내 얘기에 맞장구쳐 주는 사람이 없어, 다들 반응이 없다니까. 그는 그렇게 얘기하면서 또 다른 얘기를 꺼냈다. 너만 한 사람이 없어. 그렇게 덧붙이면서. 저 만날 때마다 참 많이 웃나 보네요. 다행이네요. 그랬다. 잔이 금방 비워졌고, 거기 베트남 음식 진짜 끝내준다니까, 네가 꼭 먹어봐야 해.라고 하면서 그는 계산했다. 오늘은 자기가 산다고 하면서.

근데 베트남 음식에 소주를 마셔요?

그럼. 얼마나 맛있는데.

베트남 음식을 좋아하긴 했지만, 진짜로 뭐 그렇게 맛있는지. 나는 장난 아니네요. 하면서 몇 번이나 감탄했다. 이거 완전 소주 안 준데, 그러면서 그렇게 또 한 병이 비워질 때쯤, 그래, 한 병을 더 시킬까? 하다가 안 되겠다 싶어 음식만 뒤적였다.

너 진짜 안 취한다.

아니에요. 저 취했어요. 근데 저보다 더 취해 보이네요, 뭐 그렇게 많이 마셨어요? 평소에 많이 마시지도 못하면서, 그걸 제가 아는데. 참 많이도 드셨네요. 오늘. 아니 그게 아니라, 우리 오늘 얘기하는 게 너무 재밌어서 많이 마시게 됐네요. 그럴 수밖에 없었던 건지도. 그런데요. 그래도 우리 너무 마신 것 같아요. 여기서 그만 마셔요. 하면서 시계를 봤다. 집에 갈 시간이었다.

집들이 와.

C는 집들이를 오라면서 또 계산했다. 왜 계산해요? 제가 내려고 했는데? 라고, 얘기하자, 그는 됐다고 하면서 터벅터벅 걸어갔다. 구두가 조금 미끈거린 게 느껴졌다. 발걸음이 조금 느려지자, 그가 물었다. 야, 너 술 세졌다며, 너무 많이 마신 거 아냐? 아니에요, 괜찮아요. 나는 그렇게 대답했다. 그때 마침 차가 옆으로 지나가서, 그는 내 어깨를 안쪽으로 밀었다. 순간 헛웃음이 나왔다. 저 괜찮다니까요, 갈 수 있어요. 하면서. 음식점에서 역까지 제법 가까워서 몇 걸음만 걸으면 바로 도착할 수 있었는데, 그걸 아무렇지 않다는 듯 또 나는, 고갤 숙이고 단숨에 걸어갔다.

집들이 오라니까.

다음에 갈게요.

그와 헤어지고 지하철에 내려가는 길 한 걸음 한 걸음을 곱씹으며 열차가 늦게 오기를 바라면서, 나는 점점 멀어져 갔다. 퇴근길에는 그렇게 안 오던 지하철이 웬일인지 바로 들어오고, 열차를 타게 됐다.

저기, 그러고 보니까 그렇게 말한 건 이번이 처음이네요. 그런 말 한 적 없는데 말이에요. 왜 그런 말을 해요? 지금 저 시험하는 거예요? 저 진짜 오래 참았거든요.

다시 돌아갈까요?

한 정거장 지났을 때. 왠지, 이번이 처음이자 마지막 기회가 될 것 같아 문자를 보냈다. 그는 여자친구에게 연락을 취하고 있는지 계속 기다려 보라고 했다.

참 오래 생각하네요. 저 이제 열차 갈아타러 가요. 조심히 들어가세요. 라고 보낼것을. 근데 또 안 되겠단 생각이 들어 아니에요. 미안해요. 잘 들어가세요. 라고 했다.

그러자 그는 돌아와, 라며 나를 붙잡았다.

내가 진짜요? 라고 묻자, 그는 같은 말을 내뱉었다. 돌아오라고, 그러면서 이제 괜찮다고 와도 된다고 했다. 저 진짜 갈 거예요, 몰라요. 하면서 나는 지하철을 그대로 떠나보냈다. 지금 진짜로 못 참겠거든요. 그렇게 생각하면서, 발걸음을 돌렸다. 그는 도착하면 연락하라고 했다. 나는 그 문자를 곱씹고 싶었지만, 망할 놈의 전철은 생각할 틈조차 주지 않았다. 참 빠르기도 했다. 내가 그곳에 도착하는 걸 바라기라도 하는 듯이.

*

내가 책상 위의 물건들을 구경하는 동안 편의점에서 난 맥주를 다 마시지도 못하고, 그는 침대에 누웠다. 너무 많이 마신 탓일까, 나는 걸어오는 동안 다 깨버렸는데, 물론 조금의 취기는 있지만, 하면서 꼼지락거렸다. 작은 방인데도 따뜻한 물이 잘 나오는 곳이었다. 덕분에 모락모락 김이 나는 욕실에서 잠깐 생각을 멈출 수 있었다. 씻고 나와서 놀랐던 건, 그래. 분명히

어지럽혀져 있던 간이 책상과 맥주캔은 온데간데없어졌다는 것이었다. 그는 아까와 같이 누워있었고. 아주 잠깐 눈을 동그랗게 떴지만, 그러고 말았다. 나는 치웠구나, 생각하면서 그의 티셔츠를 입고 불을 껐다.

어쩐지 급해 보였다, 그가 하는 키스는. 나는 울음이 나올 것 같아 끅끅거렸다. 그런 걸 아는지 모르는지 내 몸을 더듬거리기 시작했다. 부끄러워서 불을 켤 수 없었다. 그건 수줍음에 나오는 부끄러움이라기보단, 숨기고 싶은 부끄러움이었다. 맞아, 나는 숨고 싶었다. 너무 많이 취했다고. 이러는 모습의 그 사람과 그에 마주하는 내 모습에서. 몇 번이나 울고 싶었지만 그러지 못했다. 그 사람이 너무 좋지만 이러고 싶진 않았어요. 이러고 싶진 않았다고요. 나는 그와 하고 싶은 걸 7년이나 참았는데. 7년이나. 이제 다 끝나버린 것 같네요. 그동안의 모든 것이라고 생각하면서 그가 하는 모든 것을 받아들였다.

당신은 참 멋있는 사람이에요. 재밌고 좋고. 저한테 잘해주시고요. 나는 그의 것을 잡고, 그것의 매끈한 면을 핥으면서 얕은 숨을 쉬었다. 정성스럽게 매만지기도 하고 쓰다듬으면서, 그가 그 순간만큼은 나를 좋아해 주길 바랐다. 몇 번이나 매만지면서 달콤하게 핥았다.

좋아.

C가 작에 읊조리는 소리를 들었다.

저는 사실 사탕은 별로 안 좋아하거든요.

*

그가 정신을 차린 듯해 보였다. 응? 이라고 말하면서 협탁에 있는 등을 켰기 때문이다. 아까도 정신은 있어 보였지만, 이젠 정말로 정신을 차린 듯. 내가 불은 왜 켜요.라고 하자 그는 아니, 얼굴을 보려고. 그러고선 바로 또 불을 꺼버렸다.

몇 번이나 들어왔다 나갔다가 멈췄고, 우리는 잠이 들었었다. 잠이 들었다가, 그게 선잠이었는지, 다시 또 깨버렸다. 몇 번이나. 그가 다시 내 몸을 안을 땐 그 때문에 조금 놀랐을 뿐이었다. 정말로 잠이 들려던 순간이어서, 아침은 어떡하나 하고 걱정하고 있던 와중이어서. 그래, 이대로 아침이 오면 되겠다, 하고 생각하던 와중이어서.

그는 나를 뒤집고, 그대로 내 어깨를 안고선 내 위에 올라왔다. 그렇게 내 어깨와 허리, 등을 만지면서 바짝 달라붙었다. 그리고 귀에 낮게 얘기했다.

다은아. 우리 다음엔 이러면 안 돼.

그래요. 우리 다음엔 이러지 말아요. 정말로 이러지 말아요.

없던 일로 해요.

후크

　너 그날 왔던 날, 내가 잊자고 했는데. 잊자고 했는데. 근데 잊을 수가 없어. C는 괴로운 듯 침대에 누워 두 눈을 팔로 감쌌다.

　돗쿠리를 몇 병이나 비우고 맥주 한 잔을 더 하자고 한 상태였다. 쌀쌀한 날씨, 포트폴리오 한 점을 더 보자고 얘기하고 그의 집에 온 상태였다. 시계가 새벽 한 시 정도를 가리키는 게 보였다. 그는, 그렇게 중얼중얼 얘기했다.

　내가 듣지 못했다고 생각했는지 나를 보지 않으며 한 번 더 읊조렸다. 나는 아까 무시했던 그 말을 다시 듣게 되어, 또다시 말을 잃게 되었다. 정확히는 적당한 대답을 찾을 수 없었다고 해야겠다. 아까와 비슷한 쌀쌀한 날씨도, 얘깃거리도 없었기에 더욱 그러했는지도 모른다. 왜 그 말을 다시 하는 걸까, 하며 나 또한 조금 취했는지 의자에 앉아 한참을 생각했다. 그는 뭐라고 얘기하다가 자세를 바꿔 제법 바른 자세로 누웠고 나는 그 모습을 바

71

라보다 깜빡 졸고 말았다. 노란색 조명이 분위기 있게 우리를 비췄다.

　누워있다 아침에 가, 조금 쉬다 가. 라며 중얼거리는 듯했는데 그 목소리가 정확하지 않았다. 진짜로 괜찮아요? 더는 망치기 싫은데, 평범해지고 싶은데. 라는 생각을 하며 나는 엎드려 그의 얼굴을 바라보다. 좋은 블랙티 향이 침대 머리맡에 놓여있었다. 나는 그 향을 맡으며 아까 그가 했던 말을 떠올렸다. 그 향 좋지, 선물 받았어. 청소가 급했다던데 언제 또 향을 켜 두었는지 모른다. 웃음이 나왔다. 잔뜩 술에 취해서 이런 말 저런 말 다 해버리는구나, 라며 멀쩡했던 나는 그의 얼굴을 쓰다듬었다.

　그럼, 잠깐만 키스해도 돼요? 한 번만. 이란 생각을 하며 누워있는 그에게 다가갔다. 진짜, 정말로 키스하고 싶었는데. 한 번만. 그럼 한 번만 해도 될까요. 서서히 다가가 나는 입술을 댔다. 이러면 안 되는데, 이런 느낌이구나 하다가, 또 멍하니 바라보며 망설이다가. 그렇게, 다시 한번 다가갔다. 그의 얼굴을 어루만지는 데에 느껴지는 그 부드러운 느낌과 입술. 그런데 그의 손이 나의 등을 감싸 안았다. 내가 너무 사랑하는데, 그건 모르겠죠. 말할 수도 없거니와. 그렇다, 아마 평생을 가도 말할 수 없을 거다. 이 관계를 잃지 않으려면, 내가 그 노래를 들으며 펑펑 울었단 얘기 따윈. 아마 말할 수 없을 거야,

　그가 다시 그 전날 밤을 기억해 내려 하는 듯 더듬거리며 어물쩍 나의 옷을 벗기려 하자 어쩐지 답답한 마음이 들어 윗옷을 벗어버리고 다시 한번 코언저리로 다가갔다.

　속옷의 후크가 벗겨진 건 그때였다.

D

섹스가 끝날 때면, 우리는 서로를 껴안고 키스했다. D는 내 귓불과 머리카락을 쓰다듬으며 후회의 여운을 남겼다. 나 또한 누가 먼저랄 것 없이 그의 목에 손을 두르고 맛있게 그의 입술을 핥았다. D가 나의 음부에 자기 허벅지를 꽉 꼈다. 아직 마르지 못한 액체가 질척거리며 그의 허벅지에 묻었다. 우리는 섹스 후 그렇게 대화를 나눴다.

나의 사자여. 나의 목을 조르고, 가지고 놀고, 장난쳐 주세요. 나의 뺨을 때리고, 그러다가도 예쁘다고 키스해 주고 쓰다듬어 주세요. 내가 망가지는 모습을 생각하고 즐기세요. 내 생각을 하며 자위하세요. 나를, 나를 탐하세요.

그는 나의 엉덩이를 잡고 아이스크림을 먹듯 혓바닥을 쓸어 올렸다. 요망한 혓바닥. 입술이 닿았다가 떨어지면서 소리가 났다. 그가 얼굴을 묻고 숨을 몰아쉬었다. 발끝이 조금씩 뜨거워지는 것이 느껴지더니 이내 타오르기 시작했다.

뱀

D는 만지는 걸 좋아했다. 스스로도 스킨십을 좋아한다고 했다. 블라우스 사이로 보이는 손목도 팔꿈치도. 손가락을 이용해서 계속해서 훑어 내렸다. 하나하나 짚어가면서 맛보는 것 같았다. 나는 낯선 그 느낌에 어깨를 움찔했다. 이번에 그는 쇄골을 만져봐도 괜찮냐고 물었다. 손가락으로 찬찬히 만져보더니 살결이 참 예쁘다고 했다. 옆으로 가도 돼요? 나는 그게 신호탄이 될 줄 몰랐다. 아닌가, 사실은 나도 원하고 있었던 건지 모른다. 어서 와서 나를 탐해줘. 예쁘다고 쓰다듬어 줘. 그렇게 생각한 사이에 불현듯 나만큼이나 떨리는 입술과 숨결이 느껴졌다. 그때 내 안의 모든 이성의 끈이 뚝, 하고 끊어졌다. D의 입술은, 혓바닥은 황홀하리만치 달콤했다. 마치 금단의 사과를 먹는 듯한 기분이 들었다. 머릿속으론 이러면 안 된다는 말을 수십 번 되뇌면서도 나 스스로를 멈출 수 없었다. 그가 입술을 떼면 나는 몇 년이나 목이 말랐던 것처럼 그의 입술을 따라갔다. 그 모습을 보고 D가 웃었다.

따라오네? 아차 싶은 기분이 들어 고개를 휙 돌렸다. 하고 싶다는 생각은 전혀 없었다는 말이 무색해지는 순간이었다. 너무 부끄럽지만, 너랑 하고 싶어. 줄곧 기다렸어. 뜨겁게 나를 안아줄 사람을.

*

눈을 가려도 될까?

D는 준비해 온 것들을 꺼내더니 눈을 가려도 되냐고 물었다. 나는 어쩐지 호기심이 생겨 괜찮다고 말했다. 침대에 앉아 가만히 그가 머리 뒤로 리본을 묶는 것을 기다렸다. D는 리본을 다 묶었는지 이번엔 뺨을 탁, 쳤다. 그가 무엇을 하려는지 보이지 않아 어쩐지 무서운 기분이 들면서도 탁, 쳐진 뺨에 찌릿한 기분이 들었다. 뭘 하려는 거야? 그가 이번에는 누워서 팔을 올려보라고 했다. D는 그랬다. 침대에 앉아서 옷을 벗어보라느니, 알몸으로 침대에 누워 팔을 올려보라느니, 아무튼 내가 부끄러워할 만한 건 다 좋아하는 듯했다. 나는 그가 웃는지, 무표정인지, 어떤 눈으로 나를 바라보고 있는지도 모른 채 그저 그가 하는 행위에 몸을 맡길 수밖에 없었다. 가려진 눈 뒤로 그가 테이프를 뜯는 소리가 들렸다. 그러고는, 손목을 칭칭 감고는 그 묶인 손목을 한 손으로 제압하고 내 몸에 입술을 갖다 댔다. 목덜미, 쇄골, 어깨, 입술이 점점 옮겨가더니 그가 나의 겨드랑이를 혓바닥으로 쓸어 올렸다. 순간적으로 고개를 돌리고 몸을 비비 꼬게 됐다. 으응, 하고 신음이 나왔다. 간지러워.

음탕한 사람. 눈을 가리니 그의 숨소리와 함께 입술이 더욱 생생하게 느껴졌다. D는 입술을 옮겨 나의 음부에 키스했다.

그는 한 번 더 부스럭거리더니 이번엔 다리를 벌려보라고 했다. 위잉, 소리가 들리더니 자그마한 그것을 내 안에 넣었다. 오랜만에 느껴보는 이물감에 조금 소리가 나왔다. 내가 그러든 말든 더 큰 재미를 보겠다는 듯 D는 내 다리를 오므리더니 다시 한번 테이프를 직, 하고 뜯었다. 미세하게 떨리는 내 다리를 잡고 이번엔 무릎 부분을 테이프로 감았다. 그러면 그 작은 것이 더 바짝 들어올 거란 걸 아는지, 나는 가려진 눈 사이로 그가 싱긋하고 웃는 것을 느꼈다.

씻고 올게.

이런 상태로 사람을 기다려 본 적은 없는데, 테이프에 묶인 상태로 침대에 누워 있자니 어쩐지 부끄러운 기분이 들어 다리를 비비적거렸다. 그가 잠시 자리를 비운 것을 틈타 팔을 잠시 내려 얼굴을 가렸다. 뭐 하는 거야, 정말. 그런 생각을 하고 있는데 D가 샤워를 마치고 돌아오는 게 느껴졌다. 이렇게 기다리게 하고 참 고약하다. 하고 그가 침대 위로 올라왔다는 생각이 들려는 찰나, 그는 자신의 것을 입에 물렸다. 나는 내가 어떻게 할 수 없는 상황이란 것을 알아채고 그의 것을 빨았다. 입안에 가득차고도 모자라 목젖에 닿고, 나는 그것이 닿을 때마다 기침이 나왔다.

D와 내가 잘 맞는다는 생각이 든 건 그때부터였을까. 그는 괴롭히고 괴롭힘당하는 나를 지켜보는 걸 좋아했다. 반대로 나도 그 상황이 싫지 않았다. 아니 오히려 갑작스러운 상황일수록 좋았다. 그도 그걸 알아차렸는지 대뜸 젖꼭지를 꼬집었다. 그러고는 이제 상황이 만족스럽다는 듯 안에 넣었던 것을 꺼내더니 내 다리를 끌어 음부에 입술을 갖다 댔다. 벌써 이렇게 젖으면 어떡해? D는 장난스럽게 물었다. 줄곧 탐하고 싶었는지 한참이나 입술을 갖다 대고 숨을 내쉬길 반복했다. 그러면, 그가 숨을 들이쉬고 내쉬면, 차례대로 나의 발끝이 타들어 갔다. 얼마 만에 발끝이 타들어 가는 느낌인 건지. 달리 무슨 짓을 한 건 아니었지만 너무나 야하게 나를 원하는 것을 느끼고 있어서 더 그랬던 탓인지, 아무튼 나는 정신을 차릴 수 없었다. 달콤한 아이스크림을 맛보는 혓바닥 같았다. 줄곧 먹고 싶었는지 한참이나 코를 박고 있었다. 불현듯 뭐가 생각났는지 그가 이번에는 더 재밌는 것이 있다면

서 다시 한번 부스럭거렸다. 이번엔 뭐지? 하는 생각이 드는 찰나 다시 한번 위잉, 소리가 들리더니 D가 그것을 내 안에 집어넣었다.

아까 것과는 다른 묵직함에 조금 움찔했다. D도 그것이 아까 것과는 다르다는 걸 아는지 조심스럽게 움직이면서 내 반응을 살폈다. 꿈틀거리면서 소리 내는 내 모습이 재밌었나 보다. 나는 그의 모습이 보이지 않았지만, 적어도 그가 이 상황을 즐기고 있다는 걸 알 수 있었다. 나도 그의 앞에 다리를 벌리고 그가 장난을 치는 걸 받아주고 있는 게 나쁘지 않았다. 어쩐지 부끄러워서 묶인 손으로 얼굴을 가렸다. 손을 올려야지. D가 말했다. 안 되겠네, 혼나야겠네. 그러더니 D가 나의 목에 목줄을 채웠다. 사슬 소리가 차르륵, 하고 흘렀다. 일어나 있어? 나는 어쩐지 그 말이 조금 무서웠다. 아차 싶어서 얼른 무릎을 꿇었다. 그랬더니 D가 이번에는 두 발로 서 있네? 라고 말했다. 이러다 혼나겠다 싶어 바닥을 기었다. 말을 잘 듣는 내가 예쁜지, 머리를 슬쩍 쓰다듬었다. 그가 목줄을 잡고 움직이면 그에 따라서 사슬도 사르륵, 하고 움직였다. 나는 그가 움직이는 데로 양손을 짚고 따라갔다.

*

엉덩이 얼마 전에 맞아봤다며? 그러면 여기도 맞아봤어? D는 그렇게 물어보더니 내 음부를 짝, 하고 때렸다. 처음으로 음부를 맞아봐서 그런지 몰라도 나는 적잖이 놀라 신음이 터져 나왔다. 찰싹, 그는 재밌는지 한 번 더 나의 음부를 때렸다. 응? 맞아봤냐고. D가 물어봤다. 아니, 처음이야. 부끄러움에 얼굴을 다 가리고 겨우 대답하는 내가 맘에 들었는지 조금 전까지 세차게 때리던 그 음부를 예쁘다고 쓰다듬어 줬다.

그가 나의 다리를 올려 발가락을 빨았다. 발가락 사이를 간지럽히는 혓바닥이 참 농밀했다. 눈가리개를 풀자, 그가 나를 만지는 장면이 더 생생하게 보였다. D가 다리를 이리저리 주무르면서 동시에 나의 클리토리스를 자극했다. 얼마 전에 콘돔 안 하고 했다며? 나 원래 피임은 확실하게 하는데, 잠깐만 넣어볼까. D는 그렇게 한마디 하더니 내 다리를 끌어 어깨에 올려보았다. 잠깐, 이라고 말하지도 못한 사이에 D가 들어왔다. D가 후, 하고 한숨을 쉬었다. 되려 잠깐만, 이라고 말한 사람은 그였다. 그는 내 얼굴을 쓰다듬고 다시 한번 뺨을 짝, 때렸다. 예쁘네. D는 얼굴을 쓰다듬으며 몇 번 움직이더니, 본격적으로 하고 싶은지 금방 페니스를 빼버렸다.

*

나를 쳐다봐야지.

D의 전자담배 냄새가 났다. D는 이상하게도 내가 눈을 감는 것을 허락하지 않았다. 웬만한 상황에서는 자신을 바라봐 주는 것을 좋아했다. 그러면 나는 눈이 질끈 감기는 것을 꾹 참고 그를 바라봐야만 했다. 외설스럽고 야한 말도 서슴없이 시켰다. 내가 말을 더듬더듬 띄어 말하면, 그걸 꼭 하나의 문장으로 뱉게 했다. 말하기 어려운 긴 문장일수록 그도 그걸 아는지 그걸 꼭 내 입으로 말하게 했다. 그런 걸 좋아했다. 나쁜 사람, 나쁜 사람. 나는 중얼거렸다. D는 시끄럽다는 듯 내 목을 졸랐다. 흡, 하고 숨이 턱 막혔다. 형광등 사이로 희미하게 웃고 있는 그가 보였다. 그가 숨을 조여올수록 더 깊이 들어오는 것이 느껴졌다. 아니 정확히는, 그는 내 안을 휘젓는 것이 느껴졌다. 눈이 질끈 감겼다. 점점 힘들어지는 게 느껴질 때쯤 그도 그걸 아는지 조였던 손을 풀어줬다. 숨을 쉬고 그의 얼굴을 올려다봤더니 내가 예뻐 죽겠다는 듯 D가 키스했다. D는 머리카락이 길어서, 키스하고 지나가는 길에 그의 머리카락도 같이 지나갔다. 나는 그게 어쩐지 야하게 느껴졌다. 뺨에 머리카락을 타고 내려온 그의 땀이 똑, 하고 떨어졌다. 그 땀방울 하나가 너무 생생해서 온 신경이 곤두서는 듯했다. 아랫도리에서 철퍽철퍽 소리가 났다.

그는 나의 몸을 일으켜 세우더니 자기 목덜미에 팔을 두르라고 했다. 나는 순순히 그의 말을 듣고, 팔을 둘렀다. 왜 그러지? 내가 잠시 그렇게 생각하는 사이, 그가 갑자기 나를 번쩍 들어 안더니 엉덩이를 위아래로 세차게 흔들었다. 갑자기 온몸이 흔들려지니 머리도 세차게 흔들렸다. 하지만 그 흔들림이 나쁘지 않아서 나는 그의 목덜미를 더욱 꽉 안아봤다.

그의 몸통과 나의 몸이 더욱 가까이 붙게 됐다. 철퍽철퍽. 아랫도리에서 야한 소리가 나며 미끄럽게 움직여서, D는 나의 엉덩이를 더욱 꽉 쥘 수밖에 없었다. 그가 방향을 틀더니 말했다. 거울 봐봐, 응? 얼마나 예쁜데. 욕실 거울에 보이는 우리의 모습을 가리키는 듯했다. 나는 그 들썩거림에 정신이 없어서 거울을 볼 수 없었다. 그저 눈을 감고 숨을 가쁘게 쉴 뿐이었다. 적나라하게 비치는 두 사람의 모습을, D는 똑바로 지켜보고 있었겠지. 안돼, 보지 마. 나는 너무 부끄러워 그의 어깨에 얼굴을 묻었다. 그는 힘들지도 않은지 나를 꼭 안고 그 들썩거림을 계속했다. 나의 무게감이 고스란히 그에게 전해질 수 있었다.

*

D가 일어서보라고 했다. 그는 나를 감싸 안고 텔레비전 앞으로 갔다. 칠흑같이 검은 화면 안에 내 모습이 비쳤다. 텔레비전은 너무나 컸고, 화면 안에 비친 내 모습은 낯설어서 눈을 질끈 감았다. 눈을 똑바로 떠. D가 말했다. 그렇게 말할수록 더 정신 차리기 힘들단 말이야. 내가 이잉, 하고 고개를 가로짓자, D가 안 되겠다는 듯 다시 한번 나를 안고 욕실로 들어갔다.

그때 그 세면대는 왜 그렇게 튼튼한지, 꼭 이런 순간을 위해 존재하는 것 같았다. D가 뒤에서 끊임없이 들어왔다 나가서, 손바닥으로 세면대를 간신히 붙잡고 서 있었다. 정신을 차릴 수가 없어 고개를 숙이는 찰나에 D가 목줄을 챙, 하고 당겼다. 거울을 봐야지. 나는 그의 말대로 고개를 들어 거울을 보려고 노력했지만 여간 힘든 일이 아니었다. 다리가 부들부들 떨려서 일어서 있는 것만으로도 벅찼다. 그가 손톱을 세워 내 등줄기를 만지는 것이 느껴졌다. 박는 걸 멈추지 않으면서 그 등줄기를 살살 긁어댔다. 츄릅, 소리가 나서 살짝 눈을 떠보니 D가 손끝에 침을 발라 내 등에 묻히고 있었다. 그는 몸을 숙여 나의 그 깊게 파인 곡선이 예뻐 죽겠다는 듯, 핥아보기도 했다. 손가락 끝이 등줄기를 타고 서서히 내려가 이내 엉덩이로 자리 잡았다.

D는 내가 거울을 제대로 보고 있지 않은 게 맘에 들지 않았는지 목줄을 던지더니 머리카락을 휘휘 감아 잡아 올렸다. 목뒤가 서늘해지는 것이 느껴져서 살며시 눈을 떴다. 그는 내가 힘들어하는 것을 아는지 모르는지 다시 한번 눈을 떠보라고 했다. 거울 안에 내 모습이 보였다. 소름이 돋았다.

그가 자기 위에 올라와 보라고 했다. 웬만해선 안 힘들다며? 그가 엉덩이를 찰싹, 하고 때렸다. 나는 슬며시 허리를 움직여 봤다. 앞에서 했던 많은 일들 때문이었을까. 아니면 그냥 나와 그는 잘 맞는 것일까. 허리를 움직이는 족족 D의 것이 질 벽을 긁는 것이 느껴졌다. 그의 가슴을 짚고 움직일수록, 그 각도에 맞춰 나의 허리도 휘어갔다. 하아, 하고 한숨을 쉬었다. 두 눈을 감고 볼이 차츰 상기됨을 느꼈다. 나중에야 말했지만, D는 그때 내 얼굴이 그렇게 야했다고 한다. 기분 좋아지는 건 내가 아니라 다른 사람이 보기에도 그래 보였나 보다. 쵸커가 잘 어울리네. D가 나의 얼굴을 물끄러미 바라보더니 말했다.

이내 그는 더 이상 못 참겠다는 듯 나에게 내려오라고 했다. 그러곤 뒤에서 나를 안아 침대 저 끝으로 데려가더니 엉덩이를 꽉 붙잡았다. 도망치지 못하게 하려는 것 같았다. D는 몇 번 격하게 움직이더니 가만히 멈춰 섰다. 아니, 멈춰 서기보단 엉덩이 부근을 지그시 응시했다. 그가 내 안에서 들어갔다 나오는 것을 관찰하는 것 같았다. 안의 살이 들어가고 나오는 것이 적나라하게 보여서 야하다고 했다. 그러면서 다시 한번 엉덩이를 짝, 하고 쳤다. 뭐 그런 걸 보고 있어. 나는 그런 생각이 들었는데, 내가 생각할 틈을 준 걸 깨달았는지 날 깔아뭉개고 그 위에 올라탔다. 엉덩이 사이로 비집고 들어오는 것이 느껴졌다. 내 안의 살은 아까보다 더 끈적하게 그 사람의 것을 물고 있겠지.

D가 내 목덜미를 지그시 눌렀다. 그가 숨을 토하는 것이 느껴졌다.

그가 머리카락을 움켜쥐더니 확 하고 잡아끌었다. 거울을 보라고. 나는 넘쳐나는 수치심에 앞을 보기가 힘들어 고개를 흔들었다. 그가 엉덩이를 짝, 하고 때렸다. 어쩔 수 없이 바라본 맞은편엔 고통을 느끼는지, 쾌감을 느끼는지 모를 내가 있었다. 두 다리가 바들바들 흔들리는 게 느껴졌다.

화염

　입 벌려봐. D가 뺨을 만지더니 나의 턱을 내려 입을 벌려봤다. 눈이 가려져 있었지만, 그가 무엇을 하려는지 짐작할 수 있었다. D는 침을 모으더니 내 혓바닥에 조그맣게 침을 뱉어봤다. 먹으라는 듯 턱을 닫고는, D는 한 번 더 입을 벌렸다. 이번엔 좀 더 많은 양의 침을 뱉는 것이 느껴졌다. 나를 갖고 싶어? 그런 생각이 들었다. 그는 두 차례 침을 뱉고는 내 입을 닫고 키스했다.

　다은아. 오늘은 좀 일찍 쌀 것 같아. 내가 응? 하고 물었다. 줄 곧 하고 싶었거든, 너랑. D는 그런 말을 하고는 안에 넣었던 장난감을 뺐다. 그러고는 내게 물었다. 내가 뭐 하고 싶었다고 했지? 나는 그와 했던 대화가 금방 생각나지 않아 어물쩍거렸다. 그가 나의 음부를 짝, 하고 때렸다. 응? 그가 말했다. 나는 그제서야 생각이 나서 얼른 말했다. 나, 핥고 싶다고. 그는 그렇게 말 안 했는데.라고 되물었다. 단어를 고쳐 말했다. 보지, 핥고 싶다고.

91

나는 어쩐지 부끄러워져서 눈을 가렸다. 뭐라고? 팔 내려야지. 부끄러움에 얼굴이 찡그려졌다. 내가 뭐라고 했다고? 정확히 말해봐. 다은이, 보지, 핥고 싶다고. 나는 느리지만 천천히 그가 원하는 대답을 했다. 내가 나지막이 말하자, D가 슬쩍 웃는 것이 느껴졌다. 벌써 이렇게 젖으면 어떡해? 그는 일부러 자신을 보라는 듯 눈가리개를 조금 올리더니 장난스럽게 물었다. 그러고는 혓바닥을 새워 나의 음부를 조심스럽게 핥았다. 혓바닥을 크게 넓혀 한 번에 쓸어 올렸다가, 다시 한번 내렸다가, 자그만 앵두가 맛있다는 듯 빨아봤다가. 나는 아까 내가 한 말들과 그의 장난스러움이 주마등처럼 지나가 몸 둘 바를 몰랐다. 어쩐지 몸이 더 뜨거워지는 것 같았다. D도 내가 자신의 장난스러움을 싫어하지 않을 거란 걸 알았는지, 참 고집스럽게도 물어봤다. 그는 잠시 나의 음부를 조용하고 은밀하게 맛보더니 이내 입을 뗐다.

콘돔은 언제 끼웠던 건지, 아무튼 난 눈을 가리고 있었기 때문에 알 길이 없지만 그는 준비가 다 된 것처럼 보였다. 그가 갑자기 들어왔다. 이런저런 장난감을 갖고 노는 걸 좋아하는 그 사람 답지 않았다. 그렇게 하고 싶었다고? 사실은 나도 그랬는데. 그랬는데, 그런 말을 하기가 부끄러웠어. 줄곧 오빠 생각만 했어. 오늘 만나는 게 얼마나 기다려졌는지 몰라. 나는 일찍 쌀 것 같다는 D의 말 한마디를 다시 한번 곱씹었다. 고작 그 말 한마디.

보통 같으면 그가 먼저 자신을 보라고 시켰을 테지만, 어쩐지 이번엔 내가 답답한 기분이 들어 눈가에 걸쳐진 가리개를 머리 위로 올렸다. 희미하게 뜬 눈 위로 그가 보였다. 나를 어떻게 하고 싶어? 이렇게 묻는 내 질문에 대답하고 싶었는지 D는 내 두 다리를 자기 어깨 위에 올려놨다. 그의 리듬에 맞춰 엉덩이가 흔들리고, 저 안을 깊숙이 찌르는 무언가에 의해 정신도 점점 희미해졌다. 그때 유난히 철퍽거리는 소리가 크게 울렸다. 그렇게도 애액이 많이 나온 적은 오랜만이었다. 아니, 엄밀히 말하면 처음이려나? 나는 그때가 언제였는지 떠오르지 않았다. 액체가 넘치고 넘쳐 그의 배까지 적셔지는 것이 느껴졌다. 그가 깊숙이 박는 리듬에 맞춰 자꾸만 흐르는 그 샘물은 멈출 줄을 모르고, 흘러넘쳤다. 이래도 되나 싶었다. D는 발갛게 상기된 내 얼굴이 어쩌나 예쁜지 그저 물끄러미 바라만 보면서 본인이 할 일을 했다. 얼굴을 쓰다듬었었나? 목을 졸랐었나? 잘 기억나지 않는다. 아무튼, 나도 미치도록 그를 원하고 있었다. 보지 못한 며칠이 참 길기만 했다. 더 깊숙이 넣어줘. 끊임없이 박아줘. 내가 애원하게 해 줘. 내가 하는 말이 들렸는지 D가 나의 귓가에 키스해 줬다.

그가 이번에는 나를 뒤집어 보았다. 두 팔과 다리가 테이프에 묶여 있어 움직이는 게 무척 불편했다. 뒤집히니 두 팔목은 어깨에, 두 발목은 궁둥이에 닿아 더욱 꼼짝할 수가 없었다. 침대에 머리를 박고 D가 움직이는 데로 내 몸도 움직였다. 그런 불편해 보이는 나의 모습이 그의 눈에는 좋아 보였던 걸까. D가 내 머리를 짓눌렀다. 머리를 눌러버린 탓에 숨을 쉬기가 힘들었다. 그것 또한 새로운 경험이었지만 썩 나쁘지 않았다. 나는 숨을 가삐 쉬었다. 열심히 피스톤질하던 D가 내가 아주 힘들어 보일 때쯤 짓누른 손을 거뒀다. 나지막이 그의 숨이 거칠어지는 것이 느껴졌다. 이번엔 정말로 일찍 쌌네. D는 사정한 후에도 내 허리를 꼭 잡고 한참을 놓아주지 않았다.

불편했지? 풀어줄게.

*

도망칠 수 없다는 것이 이런 걸 두고 하는 말일까. D는 새로운 장난감을 이용해 나를 괴롭힐 준비를 하고 있었다. 두 다리로 내 팔과 다리를 활짝 벌리고 클리토리스에 그 장난감을 갖다 댔다. 너무 확 젖혀진 탓에 얼굴이 조금 찡그려졌다. 위잉, 하는 소리가 들리면서 미세한 진동이 몸에 닿았다. 그것이 나를 살살 괴롭히니 조금씩 간지러워져서 몸을 꿈틀거렸다. 움직일 때마다 조여 오는 고문 기구를 어디선가 봤던 것 같다. 내가 꿈틀거릴 때마다 더 세게 나를 누르는 D의 행동은 그것을 연상케 했다.

나는 발가락이 불타는 느낌에 고개를 저었다. 이상한 괴성이 터져 나왔다. 그럴수록 그는 멈추지 않고 그 장난 짓을 계속했다. 내가 몸을 꿈틀대서 피하려 하면, 아까 자신이 발견했던 포인트를 다시 찾기 위해 노력했다, 고 집스럽게도. 나는 덕분에 계속해서 그의 장난에 놀아났다. 삽입으로 느끼는 것과는 다른 느낌이었다. 그 자그만 부위는 어찌도 민감한지, 허벅지와 무릎을 따라서 발목, 발끝까지 차례대로 괴롭혔다. 계속해서 느껴지는 통에 정신을 차릴 수가 없었다. 이 정도였다고? 이 정도까지 느끼게 한 사람은 없었다. 그런 생각을 하고 있는데, 아까의 쾌감은 장난이었다는 듯 갑자기 두 다리에서 화염이 화르륵하고 피어올랐다. 꼭 불에 달궈져서 잔뜩 성난 기차가 앞으로 나아가기 위해 급출발을 하는 것 같았다. 나는 순간적으로 너무 놀라 허리가 휘었다. 그만, 그만. 고개를 세차게 돌렸다. 그만 느끼고 싶어. 너무 좋아서, 너무 괴로웠다. 이러면 생각날 거 같단 말이야. 그만해 줘. 하지만 그 말은 입 밖으로 나오지 못했다. 나는 그저 중얼중얼, 하고 싶은 말을 허공에 떠올릴 뿐이었다.

D는 멈추지 않았다. 아니 오히려 낚싯대에 물고기 한 마리가 제대로 낚인 듯, 오랜만에 만난 재미를 맛보려는 듯했다. D는 아까 찾는 지점을 다시 한번 찾기 위해 더듬더듬, 세포 하나하나를 만져댔다. 어쩜 그리도 사람의 몸은 신기한지, 나는 그렇게 느꼈는데도 계속해서 반응했다. 아무렴, 꼼짝도 할 수 없는 상황에서 한 부위만 집중적으로 괴롭혀지니 그럴 수밖에 없었을 것이다. 활짝 벌려진 두 팔과 다리가 불현듯 너무 부끄러워졌다. 이런 나를 똑바로 바라보고 있겠지? 그런 생각이 들자, 얼굴이 발개지는 게 느껴지면서 발끝에도 다시 한번 불이 붙었다. 너무 수치스러워서 눈을 뜰 수 없었다. 나는 그저 계속해서 신음을 토해낼 뿐이었다.

불이 붙은 부위는 이윽고 작은 바람에도 일렁거리며 예민해졌다. 아주 작은 바람에도 금방 타오를 것 같았다. 나는 괴로움과 쾌락 그 어딘가의 사이에서 죽을 것 같다고 말했다. 그만해 달라고 애원했다. 눈물이 조금 나오는 게 느껴졌다. 하지만 그러든 말든, 신경 쓰지 않는다는 듯. 아니, 다시 한 번 아까의 내 모습을 보고 싶다는 듯 D는 멈추지 않고 장난질을 계속했다. 보여달라는 것 같았다. 나의 진짜 모습 그 밑천에는 무엇이 있는지.

이렇게도 느낄 수 있는 것일까. 발끝에서 다시 한번 화염의 불씨가 생기더니 순식간에 온몸을 휘감아 올라왔다. 온몸이 뜨거워지는 것과는 다른 느낌이었다. 나는 기차가 지나간 것 같은 쾌감에 온몸이 바들바들 떨렸다. 나는 다시 한번 고개를 저었다. 울음이 섞인 목소리는 그제야 들렸는지, D가 그만해 줘?라고 물었다. 나지막이 대답하는 나를 보고, 그제야 그 장난질을 멈췄다. 나는 온몸에 힘이 풀린 채로 천장을 응시했다. 그가 내 위로 올라와서 키스를 해줬던 것 같다.

*

D는 나의 어떤 모습을 보고 싶었는지 대뜸 대화하다가 나에게 자신을 애무해 보라고 했다. 이번엔 다은이가 어떻게 하는지 좀 볼까? 왠지 놀리는 건가 싶어 입술이 삐죽 나왔다. 막상 그렇게 얘기하니 어쩐지 더 부끄러워져서 뭐부터 해야 할지 잘 생각이 나지 않았다. 그의 젖꼭지를 핥았다. 조심조심. 별 반응이 보이지 않는 것 같아 조바심이 났다. 겨드랑이를 핥아야 하나? 그런 생각을 하면서 입술을 옮겨 그의 배를 따라 아랫도리에 갔다. 그러고 보니 항상 나는 먼저 묶이는 쪽이었고, 가려진 눈을 풀면 발기된 D가 보였기 때문에 이런 일은 없었는데. 참 기묘한 일이었다. 조심스럽게 그의 페니스를 빨았다. 기둥은 이렇게 생겼었구나, 귀두는 동그랗네. D는 아랫도리를 몽땅 왁싱했었기 때문에 불이 어두웠음에도 불구하고 그의 것이 더욱 생생하게 보였다. 나는 최대한 정성스럽게 핥아보았다. 뿌리부터 꼭대기까지.

귀여운 알도 살살 만져가면서. 그러다 회음부도 조금씩 핥아봤다. 눈을 살짝 뜨고 위를 바라보니 그런 나를 바라보고 있는 그가 보였다. 나는 한참이나 그의 것을 빨다가 다른 생각이 들어 그의 엉덩이를 뒤집었다. 나만큼이나 귀엽고 탐스러운 엉덩이였다. 그 사이에 자그맣게 자리 잡은 연한 속살을 맛봤다. 엉덩이도 살짝살짝 움켜쥐면서. 나도 D만큼이나 D를 참 좋아했나 보다.

입술에서 얇게 떨어지는 침이 끈끈한 실처럼 연결됐다. D는 나를 쳐다보더니 올라와 보라고 했다. 나는 마치 그때를 기다렸던 것처럼 순순히 그의 말을 따랐다. 그가 달리 나를 애무하진 않았지만, 나는 나의 것이 마르지 않은 것을 느낄 수 있었기 때문이다. 아마 그의 페니스를 핥으면서 계속해서 그가 들어오는 것을 상상해서 그렇지 않았을까. 아무튼 나는 그 달콤한 제안을 수긍했다.

허리를 움직일 때마다 D의 것이 느껴졌다. 다 젖지 않은 상태에서 삽입해서 그런지 몰라도 D의 것은 뻑뻑하게 나의 질벽을 긁어냈다. 그러면 나는 그의 것이 자꾸만 생생히 느껴지는 바람에 가만히 그의 위에 앉아 있을 수 없었다. 한 번 두 번 움직일 때마다 신음을 토했다. 그의 얼굴을 쓰다듬고 이마에 키스했다. D는 그런 나를 똑바로 바라보고 있었다. 살며시 웃었던 것 같기도 하다. 그는 그런 내가 만족스러운지 허리를 안고 이번에는 자신이 움직여 보였다. 정신을 차리지 못하고 그의 몸 위로 쓰러진 내 귓가에 대고 D가 말했다.

다은아,

그는 잠시 뜸을 들이더니 말을 이어 나갔다.

이게 사랑일까?

그러게, 몰라. 나는 이게 사랑이라면 사랑이라고 믿고 싶었다. 사실은, 솔직히 입에서 '사랑해'라는 말이 목구멍까지 차올랐다가 이내 들어갔다고 말하고 싶었다. 나는 정의할 수 없는 이 감정을 달리 설명할 길이 없어 그런 것 같다며 모호하게 대답을 했다. D는 묻고 싶었던 걸까, 아니면 얘기하고 싶었던 걸까? 서로를 미치게 만드는 이 감정을 달리 뭐라고 표현해야 할지 그도, 나도 찾지 못하는 것 같았다. 언젠가, 또 이런 상황이 온다면 나는 그걸 사랑이라고 확신하고 너에게 사랑한다고 얘기하고 싶어. 그러면 안 된다는 걸 알면서도 그냥 그때는 그러고 싶었다. 적어도 내가 겪은 사랑은 전부 나를 힘들게 하고, 울게 하고, 끝내 나를 지치게 했다.

이번에는 그가 나를 집어 들어 욕실로 데려갔다. 나는 허리가 결박된 채로 뒤뚱뒤뚱 욕실로 발을 옮겼다. 발에서 찰랑거리는 소리가 들렸다. 그곳의 욕실은 조명이 참 예뻐서 내 얼굴을 더욱 예쁘게 비췄다. 안 그래도 발그레해진 얼굴이 더욱 상기되어 보였다. 머리카락이 흔들리는 모습은 꼭 아지랑이가 피어오르는 것 같았다. 나는 허리가 잡혀서 꼼짝하지 못하고 계속해서 D의 것이 들어왔다 나가는 것을 느꼈다.

미끄러워서 안 되겠네.

D가 나를 다시 한번 침대 위로 올렸다. 정신없이 누워있는 나를 보더니, D가 그 뒤로 바짝 붙었다. 옆으로 해서 넣으면 어쩐지 더 잘 들어가서, 일어나 뒤에서 넣는 것과는 또 다른 느낌이었다. D의 것은 특히나 더 그랬다. 특정 부위를 쿡쿡 찌르는 통에 자꾸만 부끄러워져서 나는 몸을 꿈틀거렸다. D는 그런 나를 알고 가슴팍을 손으로 감싸 안았다. 그가 힘 있게 몸을 감싸 안으니 어찌 도망가지도 못하는 신세가 돼서, 나는 있는 그대로 D의 것을 자꾸만 받아 안게 됐다. D가 나의 목을 움켜쥐고 자신에게 가까이 붙도록 끌어당겼다. 목덜미에 닿은 숨소리에 소름이 돋았다. D도 나만큼이나 거친 숨을 내뱉고 있었다.

이제 사랑은 하고 싶지 않다. 하고 싶지 않아. 날 너무 힘들게 만들어. 그냥 섹스만 했으면 좋겠다. 정신이 아득해지는 그런 섹스. 근데 난 그러다가도 또 사랑에 빠지고 말잖아. 그 사람이 너무 좋아서 안기고 싶어지잖아. 미쳤지.

J

J는 대화하는 도중 잠깐씩 말이 없었다. 무슨 생각을 하는 거지. 저 맥주를 다 마시면 뭐라고 하지. 모텔에 가자고 해야 하나? 나 또한 이런저런 생각을 하느라 잠시 말이 없었다.

3차

아까부터 계속해서 고민이 됐다. 이 남자랑 하고 싶은데 어떻게 말을 걸면 되지. 저기, 시간 괜찮으시면 모텔이나 갈까요? 바보 같았다. 나는 애꿎은 맥주병만 만지작거리면서 그가 하는 이야기를 듣고 있었다.

첫 만남부터 하고 싶다는 생각이 든 건 아니었다. 엄밀히 말하자면 지난 주의 나는 별로 하고 싶은 생각이 없었다. 정말로 얼굴만 보고 인사하고 싶었다. 그냥 어떻게 생겼나, 어떤 목소리를 갖고 있나, 어떻게 웃나. 그런 게 궁금했다. 아, 어떤 사람인지도 궁금했던 것 같다.

호기심은 모든 죄악의 시작이 될 수도 있다는 것을 그날 밤 알게 됐다. 그 사람 또한 나와 비슷한 고민을 하고 있다는 것을 그날의 대화로 우연히 알게 되었다. 흥미로웠다. 그렇게 보이진 않았는데, 그럼 넌지시 얘기해 주지. 당신도 매일 밤 되뇌는 상념에 잠에 제대로 들지 못하고 있다고. 나는 그 남자가 어쩐지 맘에 들어 웃어 보였다. 처음엔, J의 속은 알 수 없었다. 나에 대해 어떤 인상인지, 나를 어떻게 상상했었는지, 나를 갖고 무슨 생각을 했었는지. J는 조금 철두철미해 보였다.

아, 그러지 말고 3차 갈까요? 맥주를 두 병째 마시고 한 병 더 가져오려는 J의 인기척에 내가 먼저 한마디 했다. 그 말에 J가 조금 놀라더니 그럴까요? 하고 대답했다. 우리는 일어나서 계산했다. 조금 멍청한 질문이었나? 달리 뭐라고 물어봐야 할지 생각나지 않아서 일단은 나가자고 했는데, 그다음 뭐라고 해야 할지 몰랐다. 안절부절못하는 내 마음을 읽었는지 J가 얘기했다. 그럼 다음장소는 다은씨가 가고 싶은 데로 가요. 그래요? 하고 내가 반문했다.

사거리에서 빛나는 신호등 불빛이 이리 오라고 얘기해 주는 것 같았다. 나는 그 불빛을 조용히 바라보다가, 진짜 제가 가고 싶은 데로 가도 돼요? 하고 물었다. J는 괜찮다고 했다. 제가 어디를 가고 싶어 하는 줄 알고? J는 잠시 말이 없었다. 그는 어디든 괜찮으니까 내가 가고 싶은 곳으로 가자고 했다. 나는 빨간 불빛이 빛나는 한 건물을 바라보며 J에게 수줍게 얘기했다. J는 조금은 예상했다는 듯 나의 어깨에 손을 둘렀다.

근데 왜 이렇게 늦게 말해줬어요? 조금만 일찍 말해주지. 그러면 더 일찍 나왔을 텐데. 그가 말했다.

나는 J가 나와 같은 생각을 하고 망설이고 있었다는 걸 알고 다행이란 생각이 들면서도 무서워졌다. 발걸음을 옮기는 나의 하이힐이 또각또각 소리를 내며 많은 사람 사이에서 방황했다. 밤 기온이 낮아서인지, 아니면 단순히 떨려서인지 어깨가 바르르 떨려서, 아, 춥다.라고 한마디가 나왔다. J가 그의 재킷을 벗어 어깨에 걸쳐줬다.

*

J가 나의 머리를 쓰다듬어 줬다. 나는 그 사람의 것을 맛있게 핥았다. 꽤

오랜만에 만나는 길고 단단한 기둥이었다. 나는 사막에서 우물을 막 찾은 사람처럼 J의 아랫도리를 파헤쳤다. 저 안에 내가 찾는 샘물이 있기를 바랐었다.

내가 생각했던 것보다 더 길었던 까닭에, 입에 담으니 그것이 목구멍을 찔렀다. 나는 목구멍에 집어넣을 만한 기술은 없어서 그것이 목구멍을 찌를 때마다 켁, 하고 마른기침을 했다. 그래도 이 정도면 내가 원하는 그 지점에 도달하지 않을까, 작은 기대심을 가지면서 그의 회음부를 핥았다. 섹스 리스로 살았다고는 믿고 싶지 않은 단단함이었다. 바보 같은 여자. 남편이 이렇게 매력적인데 그냥 두다니. 나는 J에게 몸을 뒤집어 보라고 얘기했다.

얼마 만에 맡아보는 남자의 냄새인 건지, 나는 그 황홀함에 젖어 그의 엉덩이에 얼굴을 묻고 눈을 감았다. 오랜만에 입술로 핥으니, 예전에 사귀었던 사람이 생각났다. 너도 이렇게 해주는 걸 참 좋아했는데. 그때 그 순간이 생각나서, 나는 얼굴을 묻고 있는 것만으로 조금 흥분이 됐다. J의 엉덩이를 꽉 움켜쥐고 혀로 그의 회음부를 핥았다. 그가 얕게 신음하는 소리가 들렸다.

이런 건 처음 경험해 보는데. J가 말했다. 아, 그랬어요? 처음이었다는 말이 진짠지는 알 수 없지만 J가 싫지는 않았다는 뜻으로 들려 마음을 놓았다. J가 나에게 키스하더니 누워보라고 했다. 나는 참 오랜만에 겪어보는 무게감에 조금 긴장이 됐다. 그런 나에게 긴장하지 말라는 듯 J가 손가락으로 음부를 간지럽히더니 이내 내 안으로 그 손가락들을 몇 개 집어 넣었다. 이미 조금 젖어있었지만 아무래도 오랜만이다 보니 불쑥 들어온 그 손가락들이 조금 낯선 건 어쩔 수 없었던 것 같다. 그가 그 앙칼진 손가락들을 움직여 내 안에 어느 한 지점을 계속 핥았다. 으음. 나는 기분 좋은 느낌에 몸을 살짝 움직였다. 그러고 보니 그 사람은 이렇게 쉽게 나를 흥분시킬 수 있는데도 불구하고 그 작은 손가락 장난 하나 하지 않았었다. 아니, 했었나? 기억이 나지 않는다. 했었어도 그리 기억에 남을 만한 인상은 갖지 못했었나 보다. 나는 이런 장난을 무척이나 좋아하는데 말이야.

그가 몇 번 나의 음부를 쓰다듬더니 손가락을 빼고 나의 다리를 잡았다. 아, 잠깐. 하려는 사이 그가 자기 페니스를 갖다 댔다. 콘돔, 해야 하는데. 라고 말하려는 나의 입술은 움직이지 못하고 단숨에 들어온 그 사람의 힘에 짓눌렸다. 이러면 안 된단 말이에요. 그게 잘됐든 잘못됐든, 그 사람은 신경 쓰지 않는 듯했다. 멀끔한 인상에 완벽해 보이는 사람, 의외였다. 나는 갑자기 시작된 그의 움직임에 어떤 말도 하지 못하고 조금씩 정신이 혼미해져 갔다. 그가 내 다리를 잡고 엉덩이를 팡팡, 쳤다. 이미 그쯤엔 콘돔을 하지 않았다는 건 잠시 잊었다. 지금, 이 순간에 나를 맡기고 싶었다. 너무 좋잖아. 더 해줘, 더 해줘. 나는 미친 사람처럼 두 팔을 머리 위로 올리고, 그저 그가 흔드는 데로 따라 흔들렸다. 양 볼이 따듯해지는 것을 느꼈다.

아름답네요. J가 나의 쇄골을 만지며 말했다. 그렇게 말해줘서 고마웠다. 어떻게 보면 내가 하자고 조른 건데, 같이 호감을 느끼고 이렇게 상대해주니. 아, 근데 당신은 인생에 허점 같은 건 남기고 싶지 않잖아, 그렇죠? 다른 사람들이 바라보는 완벽한 당신. 그렇게 남고 싶잖아요. 내가 그 마음이 어떤 마음인지 아주 잘 알거든. 나 또한 그렇게 살고 있으니까. 그런 사람이 이렇게 막무가내로 다른 여자와 관계하고. 참 아이러니하네요. 그러면 지금 그 말은 아주 순수하게 나오는 건가요? 내가 아름답다고 느끼는 건?

나는 대화를 하는 김에 그에게 물었다. 근데, 아까 왜 먼저 하자고 하지 않았어요? 왜 내가 물어보게 했어요? J가 나의 귓가에 나지막이 입술을 갖다 대더니 얘기했다.

당신이 도망칠까 봐.

아, 그게 두려웠나보다 J는. 나를 계속 알고 싶어서 관계하고 싶은 마음도 꼭꼭 숨기고 있었나 보다. 어쩐지 마음이 뿌듯했다. 걱정 마요. 이제 그

정도로 토라질 아이는 아니거든. 나는 지금 이 순간을 있는 그대로 즐기고 있으니까, 그러니까 당신도 마음 놓고 나와의 시간을 즐겨줘요.

J가 나를 뒤집었다. 뒤에서 박으니 더 깊숙이 들어오는 것만 같았다. J의 것은 조금 긴 편이어서, 뒤에서 나를 안으면 어느 한 지점을 계속해서 찌를 수 있었다. 나는 오랜만에 묵직한 게 뒤에서 계속 들어오는 바람에 정신을 차릴 수가 없었다. 그래, 이런 느낌. 이런 느낌 때문에 뒤에서 박아주는 걸 좋아한다. 두 팔이 후들거리며 흔들거리는 게 느껴졌다. 계속해 줘. 계속 나를 흔들어줘, 정신 차리지 못하게. J는 나의 마음에 응답이라도 하듯 리듬감 있게 그가 할 일을 계속해 주더니 이내 나를 침대 위로 깔아뭉갰다. 아, 이것도 오랜만인데. 전에 사귀었던 사람이랑 자주 하던 자세였다. 그 사람 또한 나의 엉덩이를 좋아해서, 누워있는 나의 엉덩이를 움켜쥐고 계속해서 집어넣곤 했다. 그렇게 하면 단순하게 뒤에서 박는 것 과는 또 다른 느낌인가 보다. 응, 나한테도 확실히 다르거든. 아까와는 또 다른 밀도 있는 느낌이 나를 덮쳤다. 이렇게 하면 나는 좀 더 옴짝달싹할 수 없었다. 머리부터 가슴까지 침대에 밀착되고 그저 그가 들어오는 걸 온전히 받아낼 수밖에 없었다. J가 나의 손에 깍지를 꼈다. 그 사람도 나의 엉덩이가 제법 묵직하게 느껴지는지 가쁜 숨을 쉬었다. 리듬감 있게 들어오는 바람에 나는 점점 정신을 잃어갔다, J는 내가 이미 가버린 것도 모르고 본인이 할 일을 계속했다. 두 눈을 감고 아랫도리가 차츰 차오르는 것을 느꼈다. 이윽고 J도 그전의 모든 것들이 맘에 들었는지 사정할 준비를 하는 것 같았다. 나의 몸은 어찌나 신기한지, 그렇게 느꼈음에도 그가 다시 한번 빠르게 들어오는 것을 인지하고 또다시 반응했다. 인정사정없는 피스톤질에 점점 혼미해질 때쯤 그가 그 큰 기둥을 빼고, 나의 등 뒤에 사정했다.

*

그의 이야기를 들어주다가, 그의 아내도 상위를 할 때면 꼭 몇 번 하지도 않고 내려온단 이야기를 들었다. 나의 아내도 다은씨 처럼 별로 재미가 없어서 내려온 거였을까요? 힘들어 보이진 않던데. 나는 별다른 대답을 하지 못한 채 그저 그가 하는 이야기를 조용히 들어줬다. 하지만 분명 다른 이유가 있었을 거예요. 너무 좋으면 웬만큼 힘들어지기 전에는 내려오지 않거든요. 그는 생각이 많아 보였다. 아마도 아내랑 겪고 있는 섹스 문제를 해결하고 싶은 것이리라. 그 사람이 좋지만, 그 사람과 겪는 섹스 문제 때문에 골치를 앓는다는 건 참 힘든 일이다.

나는 어쩐지 그가 가여워져서 그의 위에 올라탔다. 베개에 기대고 있는 J의 얼굴이 보였다. 그의 얼굴을 조심스럽게 쓰다듬었다.

그의 위에 올라오니 긴 페니스가 더욱 적나라하게 느껴졌다. 중간중간 계속 자궁경부를 찌르는 통에 아프면서도 알 수 없는 쾌감에 몸을 부르르 떨었다. 그 여자는 이 아픔이 싫어서 관계를 피했을까? 나쁘지 않은 아픔인데. 나는 그의 가슴에 손을 올리고 최대한 부드럽게 엉덩이를 움직여 봤다. 설사 자궁경부를 찔러 아프더라도 이 두께감이 주는 황홀함은 견디기 힘들 텐데. 그런 생각이 들었다. 나는 다시는 만나기 힘들 그 황홀함을 온전히 즐기기 위해 열심히 움직였다. 그 사람도 나에게 이런 느낌을 줄 수 있다면 너무 좋을 텐데. 다시 돌아갈 생각을 하니 아쉬웠다. 나는 J의 아내가 이 느낌을 온전히 즐기고, 그에게 키스하고, 그의 사랑을 즐기기를 바랐다.

K

집에 가기 싫어. 나는 맥주 몇 잔을 먹고 취해서, K의 어깨에 기대 얼굴을 비비적거렸다. 요즘에 자꾸 안 들어가서 부모님이 걱정하실 텐데.. 그는 애써 나를 집에 보내보려 했다. 하지만 내가 한번 고집을 부리기 시작하면 누구도 막을 수 없었다. 나는 그의 허벅지를 만지고, 눈을 바라보았다. 맥주 잔을 조용히 비우던 K가 계산을 하고 나가자고 했다.

말수가 적은 내면의 모습은 알코올 몇 잔이면 언제 그랬냐는 듯 없어지곤 했다. 턱을 괴고 남자의 얼굴을 바라보는 걸 좋아했다. 조용한 분위기든 시끄러운 분위기든 상관없이 둘 사이에 묘한 긴장감이 흐르는 걸 좋아했다.

얼마나 마셨었는지 기억이 안 나는 날이었다. 남자가 사실은 날 좋아하고 있었다고 말했다. 에이- 그러면 말하지 그랬어요. 나는 장난을 쳤다. 그리고 한참을 더 마시다가 가게에서 나왔을 땐 좀 휘청거렸다. 남자는 신호등이 바뀌기를 기다리는 듯했다.

취중진담

　　K와 단둘이 술을 마시게 된 건 처음이었다. 오늘따라 같이 마시던 사람들이 다들 일이 있다고, 미안한데 다음에 참석하겠다고 했다. 그런 사람들이 하나둘 빠져서, 어쩔까 하다가, 나는 그냥 K에게 그럼 둘이 먹을까요? 라고 물었다. K는 좋다고 했다. 우리는 간단하게 식사하고 2차를 갈까 싶어 근처에 횟집으로 장소를 옮겼다.

　　근데, 저 사실 다은씨 좋아하고 있었어요. 한창 술을 마시던 K가 말했다. 나는 K가 나한테 말도 잘 못 붙이고, 조용조용한 성격이라서 전혀 눈치채지 못했었다. 그냥 평소에는 마음이 잘 맞는 직장동료여서 얘기를 많이 했었는데. 그러고 보니, 남자친구랑 헤어지고 나니 사람이 어쩐지 좀 괜찮아 보이긴 했다. 그가 앞서가는 걸 발견하고 어깨를 툭 치고 인사했었다. 내가 너무 밝게 인사하는 바람에 그 사람은 놀란 듯했지만.

　　에이, 그럼 말하지 그랬어요. 나는 장난치듯 그 사람의 손가락을 툭 쳤다. 언제부터인지 모르지만, K는 꽤 오래전부터 나를 좋아하고 있었나 보다. 잠깐, 그러고 보니 K는 4년 사귄 여자친구가 있다고 들었는데, 요즘 사이가 안 좋나? 그런 생각을 하고 있는데 K가 말했다.

데스크 밑에 들어갔는데, 다은씨 허벅지 사이로 팬티가 보이더라고요. 그날 그걸로 자위도 했었어요. 미쳤죠? 나는 K가 꽤 묵묵한 편이라 생각했기에 적잖이 놀랐다. 취중이라 말할 수 있는 거겠지. 그런 생각을 하면서. 근데 내 생각을 하면서 자위라, K에겐 그때 그 시각적 자극이 꽤 컸나 보다.

나는 술을 얼마나 마셨는지 기억나지 않았다. 분명한 건, 그 사람도 나도 꽤 취했다는 사실이었다. 지금 시간이 몇 시더라, 나는 휘청거리며 거리로 나왔다. K가 나를 부축해 주는 듯했다.

신호등의 불이 켜지고 나는 그의 부축을 받아 길을 건넜다. 여전히 정신은 제대로 들지 않았다. 그때, 거리에 오로지 차 소리만 들리더니 휘청대고 있는 나의 허리를 붙잡고 K가 키스했다. 아무도 지나다니지 않는 새벽이었다. 나는 그 신호등 건너편에 모텔이 있었는지 모르지만, 아무튼 정신을 차리니 그가 나를 모텔 안으로 데려가고 있었다.

으, 잠깐만. 머리가 너무 어지러워 화장실로 달려갔다. 나는 방안에 들어오자마자 화장실로 달려가 한차례 토를 했다. K가 나의 등을 안쓰럽다는 듯 두들겨 줬다. 얼마나 마신 거지. 기억나지 않지만, 확실히 많이 마시긴 했다. 그제야 조금 정신이 들었지만 그래도 취기는 가시지 않았다. 나는 입가를 닦고 침대에 쓰러졌다. 피곤했다.

*

왜 K와 내가 옷을 벗고 있는지 그 중간과정은 기억나지 않지만, 어쨌든, 그때 내 위엔 그가 있었다. 아까 침대에 누울 때 이미 옷을 벗었었나? 아님 내가 잠시 잠들었을 때 옷을 벗겼나? 아무렴 어떨까. 내 발로 그와 함께 모텔로 들어와 버린걸. 그나저나 그렇게 술을 마셨는데도 대단하다. 그런 생각이 들었다. K의 물건은 언제 술을 마셨냐는 듯 단단해져 있었다. 꼭 바라왔던 순간을 만난 것처럼. 콘돔도 하지 않았던 것 같은데. 여자친구 있다고 했었는데, 진짜 괜찮아요? 나는 닿지 않는 질문을 끊임없이 되뇌었다. K는 얼마나 오랫동안 나랑 하고 싶었는지, 가슴을 움켜쥐는 손길이 꽤 격정적이었다. 내가 뭐라고 하든 멈추지 않을 것 같았다. K는 나의 양손에 깍지를 끼고 움직이지 못하도록 했다. 그렇게 좋아했으면 말을 하지, 그렇게 하고 싶었으면. 그는 묵묵한 성격 때문인지 말보다는 행동으로 그 대답을 대신했다. 아랫도리가 젖어가면서 부드럽게 그의 페니스를 집어삼켰다. 나는 가쁜 숨을 쉬었다. 콘돔을 하지 않아서 그런지 더욱 생생하게 느껴졌다. K의 것은, 딱 알맞았다. 너무 길지도 않고, 너무 두껍지도 않고.

취기가 있는 상태라 그런지 더 정신이 몽롱해져 갔다. K의 그런 얼굴은 처음 보는 듯했다. 빼빼 마르기만 해서 섹스는 못 할 줄 알았는데. K는 겉보기와는 다르게 꽤 오랫동안 나를 젖게 했다.

K는 나를 일으켜 세우더니 몸을 뒤집어 돌리고, 팔로 몸통을 휘감았다. 은근히 소유욕이 있는 사람이구나 싶었다. 그가 나의 목덜미에 키스하는 게 느껴졌다. 붉은 조명이 내 피부를 비췄다. 새빨간 딸기를 먹는 중이구나. 그에겐 그 과실이 꽤 달콤했을 것이다. 얼마나 오랫동안 탐하고 싶었는지, 그는 꽤 오랫동안 그 행위를 멈추지 않고 계속했다.

나는 야근을 마치고 맥주 한잔 마시는 걸 좋아했다. 이제는 남자친구가 된 그 사람과 함께. 자주 외박해서 부모님께 밉보인다고 안 된다고 하는 남자친구의 말을 무시하고, 나는 한껏 취한 얼굴로 어깨에 얼굴을 비볐다. 오늘 자고 가면 안 돼? 오늘도.

내가 말을 걸어 올 때는 이미 돌이킬 수 없었다. 꼭 그 사람 집으로 향하는 택시를 타서야 고집을 멈췄다. 그렇다고 또 집에 가자마자 섹스하진 않았다. 그 사람은 조용조용해서, 나도 옆에서 가만히 기다렸다. 테이블을 차리고 한 잔 더 하다가 안 되겠다는 듯이 시작한 건 그 사람이었다.

토요일 아침 날이 밝으면, 곤히 자는 나를 만지작거리며 깨웠다. 등 뒤로 발기된 게 느껴졌다. 더 자고 싶은 나를 내버려 두고 어깨너머로 바싹 붙었었다. 그러면 나는 이후의 상황이 상상돼서 달리 무슨 짓을 하지 않아도 젖을 수 있었다. 그 사람도 젖은 걸 확인하고 다른 애무 없이 바로 넣곤 했다.

그 사람은 엎드려서 넣는 걸 좋아했는데, 생전 경험 해 보지 못했던 자세라 너무 당황스러우면서도 좋아서 정신을 차리지 못했다. 엉덩이를 꽉 잡고 쉴 새 없이 들어올 때면 점점 내가 더 애원하게 됐다.

데이트

일이 많아 야근이 잦아졌다. 나는 꼭 이런 날이면, 집에 가기가 싫어졌다. 내 집은 회사 하고는 거리가 꽤 있어서, 종종 K의 집에 묵곤 했다. 마침 그날은 K도 함께 야근하는 날이었다. 그가 메신저로 물었다. 언제 갈 거야? 응 곧 갈 건데. 근데 자고 가도 돼? 내가 대답했다. 난 괜찮은데. K는 내가 애처로운 신호를 보낼 때마다 부모님이 걱정하실 것을 염려했다. 그래. 그는 마지못해 허락하는 듯 회사 카드키를 잠그고, 나와 함께 역 근처로 향했다.

그의 집은 조그만 방이 하나 있었다. 집이 작기는 해도 꽤 살만했다. 회사에서 거리도 가까워서, 그의 어깨에 기대 몇 정거장만 가면 금방 도착할 수 있었다. 나는 작은 그 집을 좋아했다. 함께 시켜 먹던 비빔만두, 샤워하는 것만으로도 꽉 차던 욕실, 주변의 슈퍼에서 장 본 스테이크. 우리는 일하던 중에 저녁을 먹은 터라 간단하게 맥주를 사 들고 집으로 향했다.

좁은 상에 차려진 맥주 두 잔과 과자. 얘기를 나누기엔 충분했다. 나는 그의 침대에 기대 그가 하는 얘기를 듣는 걸 좋아했다. 방안에는 의자를 놓을 수 있는 공간은 없었지만, 바닥에 앉아 얘기하기는 충분했다. 머리를 살짝 뒤로 젖혀 손가락으로 그의 머리카락을 만졌다. 맥주 한잔이 몸속을 도는 게 느껴졌다. 나는 나른하게 그의 얼굴을 쳐다봤다. 언제부터 이렇게 좋아하게 된 건지. 아무튼 난 네가 좋아. 그의 집에 와서 매일 섹스만 해대는 나날이 나는 행복했다. 평일에도 하고, 주말에도 하고. 집에 틀어박혀 섹스만 해댔다, 우리는. 종일 서로를 끌어안고 비벼댔다.

K가 살짝 젖혀진 내 목덜미를 잡고 키스했다. 그의 손가락은, 나의 쇄골에 올려지더니 자리를 옮겨 가슴에 얹어졌다.

*

나는 그의 작은 식탁, 그 끝에 매달려 있었다. K는 마른 편이었기 때문에 서서하거나, 옆으로 하는 걸 좋아했는데 덕분에 그의 치골이 나의 엉덩이에 계속 부딪히게 되었다. 그가 나의 푹신한 엉덩이를 좋아한 이유였을까. K는 섹스하면서 나의 살을 만지는 걸 좋아했다. 가슴, 허리, 엉덩이를 골고루 주물럭대는 손길이 느껴졌다.

K가 마른 편이라 힘이 약했냐 하면, 전혀 그렇지 않았다. 그가 나를 볼 때마다 성욕을 느껴서 그랬는지, 내가 너무 야하게 생겨서 그랬는지. 아무튼 그는 나랑 할 때 그렇게 오랫동안 나를 괴롭힐 수 있었다. 4년이나 사귄 여자친구랑은 관계가 없었다면서. 나는 이해가 가지 않았다. 그 여자친구와 헤어지기 직전 내 생각을 얼마나 많이 했었는지, 그는 줄곧 나와 하고 싶었다는 얘기를 종종 했었다.

K의 그곳 또한 꽤 크고 두툼해서 내 안에 가득 차기에 충분했다. 나는 그것을 좋아했다. 지금처럼 이렇게 뒤에서 마구 박아 줄 때면, 나의 머릿속은 온통 그의 것으로 채워졌다. 그럴 때마다 끊임없이 그가 들어왔다 나가

는 것이 느껴졌다. 이럴 거면 진작 사귈 걸 그랬다고, 그런 생각을 했었다. 두 볼이 상기되는 내 모습이 어떤지 한번 봐 볼걸. 그는 그런 나의 모습이 어떤지 담아 볼 생각은 하지도 못한 채 그저 본인의 움직임에 집중할 수밖에 없었나 보다.

*

아침이 된 걸까. 뒤에서 무언가 쿡쿡 찌르는 기분이 들어 잠에서 깨게 됐다. 오늘 아직 평일이니까 회사에 가야 하는데. K는 발기된 채 나를 열심히 주무르고 있었다. 목덜미에 입술을 묻고, 회사에 가기 싫다며 칭얼거리는 것 같았다. 그는 시간이 별로 없다는 걸 아는지, 아니면 그냥 빨리 넣고 싶었던 건지 옆으로 누워있는 내 엉덩이에 대뜸 자신의 것을 찔러 넣었다. 신기하게도, 나는 그게 아프지 않았다. 아니 오히려 기다리고 있었다. 그가 나의 등 뒤에서 자그맣게 숨결을 불어 넣을 때면 나는 그가 달리 무슨 짓을 하지 않아도 금세 젖을 수 있었다. 아침이 되면 그가 나를 만지는 손길이 더욱 야했기 때문일까. 가슴속 깊이 나를 원한다는 것을 느낄 수 있었다. 어서 넣게 해 줘. 네 안을 가득 채울 수 있게 허락해 줘. K가 그렇게 말하는 것 같았다.

하아, 하고 한숨이 나왔다. 아침부터 느껴지는 그의 움직임은 더욱 야했다. 그는 한쪽 팔로 나의 허리를 안고, 한쪽 팔로는 나의 가슴을 강하게 끌어안은 채 부드럽게 움직였다. 아랫도리가 점차 발개지는 것이 느껴지며, 조금 뻑뻑했던 내부도 그로 인해 촉촉하게 젖어갔다. 그가 움직임을 반복할수록 나의 허리도 조금씩 휘어갔다. 나는 그와 맞이하는 아침을 그렇게나 좋아했다.

K는 나의 몸을 침대에 완전히 눕히고, 자기 몸을 일으켜 세운 채로 피스톤질하기 시작했다. 그러면, 그렇게 하면 나는 완전히 그의 몸에 깔린 채

로 온전히 잡아먹힐 수 있었다. 엉덩이 안에 그의 것이 가득 찬 것이 느껴졌다. 가득 찬 그것은 계속해서 어느 지점을 찌를 수 있었는데, 나는 그것이 견딜 수 없이 좋았다. 너무 좋아 침이 질질 나오는지도 모른 채 베개를 움켜쥐었다. K는 그런 내가 예쁜지 나의 얼굴을 돌려 키스했다. 계속해 줘. 계속 박아줘. 나는 나오지 못하는 말을 입에 담은 채 온몸으로 그의 존재를 가질 것을 애원했다. K도 그렇게 야한 나를 좋아했을 것이다. 내가 자신을 느끼고 있다는 것을 알았겠지. 그러다, K는 불현듯 출근해야 한단 생각이 들었는지 움직임에 박차를 가했다. 그만두고 싶진 않았을 것이다. 목덜미에 해준 키스에 그의 마음이 전해졌다.

그는 그렇게 곧잘 아침이 되면 불쑥 넣기 좋아해서 나는 그와 사귀는 동안 피임약을 먹곤 했다. 하지만 약이 꼭 나쁘지는 않은 게 생리 주간을 확실히 지켜주고 마음도 편안하게 해 줘서, 나는 그 약을 꼭 지니고 다녔다. 그리고 또, 그가 내 안에 사정하게 하려고. 나도 그게 좋아서.

K가 짧게 신음하더니 내 안이 축축하게 젖을 정도로 다 쏟아냈다. 미처 들어간 몇 방울이 찔끔, 하고 흐르는 것이 느껴졌다. 아, 팬티라이너 해야겠네. 나는 나른해진 표정으로 생각했다. 아차, 그러고 보니 출근해야지. 출근.

애원

나는 별다른 고민 없이 그러자고 했다.

마지막이란 생각이 드니 어쩐지 더 애잔하게 느껴졌던 걸까, 돗쿠리를 꽤 많이 비우는 동안 그 사람은 두어 번 정도 눈물을 흘렸고 나는 조용히 그 얘기를 들었다. 안쓰럽단 마음이 들어 인상을 몇 번 찌푸렸었던 것 같다. 한편으론 정말 이래도 되는 걸까 싶다가도 곧 시원섭섭한 마음이 들었다. 야밤이라 그런지 택시는 금방 잡혔고 익숙한 그곳으로 향했다. 어떤 이유 때문인지 술기운은 금방 사라졌지만, 그 사람은 아닌 것 같았다. 내 어깨에 머리를 기대고 무언가를 찾듯 이리저리 더듬거리다가 이내 가슴 위에 손을 얹고선 주물럭거렸다. 마치 허락해 준 듯, 백미러가 묘하게 그 장면에 빗겨 나가 있었다.

*

일말의 고민도 없었다. 지금의 시간을 놓치면 안 된다는 생각이었을까, 그 사람은 조급해 보였다. 나지막하고도 천천히 키스해 주었던 지금까지와는 다른 모습이었다. 나는 익숙한 듯 다른 그런 모습을 표정 없이 바라보았고. 곧 부리나케 벗긴 웃옷과 함께 그가 다가왔다.

무엇인가를 쟁취할 목적으로 수단과 방법을 가리지 않는 데엔 어울리지 않는 사람이었지만 그때만큼은 그래 보였다. 그는 아이가 생기길 바랐던 것 같다. 내가 어떻게 움직이려고 해볼 새도 없이 바삐 움직였다. 나는 눈을 질끈 감았다. 내 머리맡에 자리한 그 사람의 숨소리가 느껴질 땐 어쩐지 울음이 터질 것만 같았고 몇 번이나 그것을 참아내야만 했다. 스스로가 허락한 일이었기에 더욱 괴로웠던 것 같다. 그리고, 나의 두 다리를 잡고 계속해서 깊숙이 들어오는 통에 그 외엔 별다른 생각을 할 수 없었다. 그렇게 오랫동안 그는 행위에 집중하며 나를 바라봤다. 술이 깬 것 같았다. 하지만 어쩐지 계속 바라볼 순 없어 바로 고갤 돌리고, 눈도 잘 뜨지 못했다. 곧 나를 뒤를 돌아 눕혔고 그 위로 그가 왔다. 엉덩이의 무게 때문에 더 깊이 들어오는 느낌이 들어 좋아하던 것이었다. 그는 등 뒤로 끌어안아 주며 살며시 목을 만졌고 동시에 허리 사이로 비집고 들어왔다. 자꾸 무언갈 말하려는 듯하면서도 계속해서 들어오는 걸 보면 그것보다는 지금의 행위가 더 중요해 보였다. 무슨 말이 하고 싶어? 더 해줄 말이 있어?

그리곤 생각을 정리했는지 엉덩이 살이 허리춤까지 올라갈 듯 깊고 세게 박아댔다. 알 수 없는 흐느낌이 자리 잡았고 나의 등과 그의 가슴팍이 땀으로 흥건해질 때쯤. 그가 말했다.

이렇게라도 널 붙잡을 수 있다면.

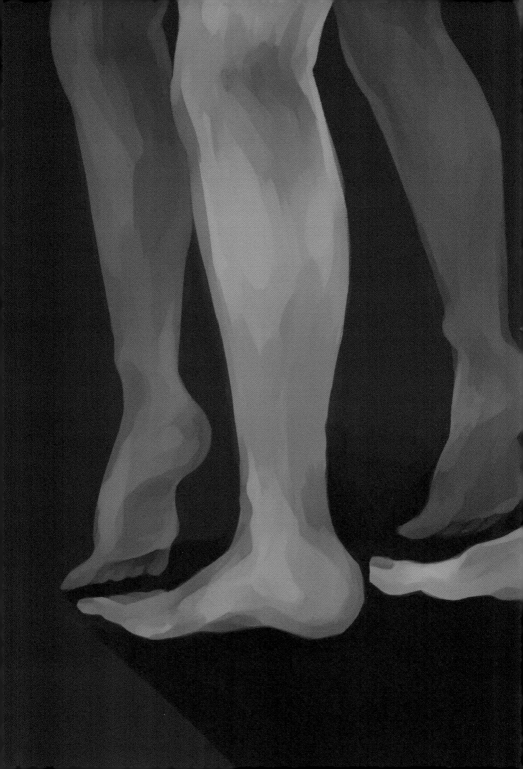

K

K는 못 참겠는지 발걸음을 옮기더니 어두운 건물 안으로 나를 데리고 들어갔다. 비상등조차 켜지지 않는 내부, 그가 나를 벽으로 밀쳐 차가운 대리석이 등에 닿았다. 계속해서 마음의 준비가 되지 않는 탓에 K가 폭발해 버린 걸까. 그가 나의 치마를 올려 손가락을 마구 들이밀었다. 비틀거리는 다리에서 방황하던 손가락. 그에게 빠져나가려고 발버둥 친 탓에 키스하려는 그의 입술도 갈피를 잡지 못했다.

처음

    K의 집에 가는 길은 어두웠다. 나는 익숙하지 않은 그 거리에서 그의 팔을 붙잡고 어서 그의 집에 다다르기를 바랐다. 어두울 데로 어두워서 노란색 조명이 더욱 눈에 띄는 길이었다. 낯선 길이었지만 옆에는 K가 있었기에 그의 팔을 꼭 붙잡고 걸었다. 그가 웃어 보이며 거의 다 왔어,라고, 얘기했다.

    그의 집은 자그만 주택 2층이었다. 삐걱거리는 소리와 함께 문을 열고 들어가는 것이 참 인상 깊은 집이었다. 허름하다면 허름하다고 얘기할 수 있었다. 하지만 나는 그의 아이다움과 사랑스러움 또한 그 집에서 나오는 거라고 생각했다. 나는 이윽고 계단을 올라 아무도 없는 그 집에 다다르게 됐다. 주방과 방 두 개가 있는 작은 집이었다. 한쪽은 침실, 한쪽은 책상이 놓여 있었다. 그가 부모님은 일 때문에 늦게 오신다고 말했다.

    배고프지. 파스타 해줄까?

나는 파스타를 해준단 말에 어린아이처럼 방방 뛰었다. 내가 파스타를 좋아한다고, 그가 언젠가 한 번 자신이 직접 요리를 해줘 보겠다고 집으로 놀러 가자고 한 게 며칠 전이었다. 성심성의껏 해준다고 하니 어떤 여자애가 안 따라갈까. 나는 흔쾌히 좋다고 하였다. 첫 남자친구의 집이라니. 떨리지 않을 수가 없었다.

물이 끓어서 그가 면을 집어넣는 소리가 들렸다. 내가 뭐 도와줄까? 라고 물으니 그는 괜찮다며 손사래를 쳤다. 나는 괜찮을까 싶어 재료를 썰어 두는 그의 자리를 서성였다. 그러는 사이 면이 다 익었는지 그는 가스 불을 끄고 있었다. 파스타라는 게 상당히 금방 되는구나.라고 생각하고 있었다.

K가 불현듯 나를 바라봤다. 평소랑은 다른 눈빛을 하고 있었다. 매서운 야수가 된 것 같았다. 나는 그 눈빛이 조금 낯설어서, 그가 나의 팔을 잡고 다가오는 사이 뒷발을 주춤거리게 됐다. 그의 숨이 서서히 다가오는 사이 완전히 얼어버려서 이러지도 저러지도 못하고. 그 끈적하고도 달콤한 입술을 한 번에 맛보게 됐다. 전혀 예상하지 못했던 일이라 조금 당황했었다. 뭘 하려는 건지도 예상이 되지 않아 심장이 요동치면서도 나는 아무런 말도 하지 못했다. K의 손에 힘이 들어가는 게 느껴졌다. 그 손아귀에 힘이 세게 들어가면서 나의 팔과 어깨를 더듬고 허리를 감싸게 됐다. 그가 그대로 나를 이끌고 움직여서 나는 아무런 저항도 하지 못한 채 뒷걸음질을 하고선. 침대가 있는 그 방문이 끼익, 하고 열리는 소리를 듣게 됐다.

내가 아직 경험이 없다는 걸 K는 저번에 들어서 알고 있었을 것이다. 그래서 그랬는지 몰라도, 그의 움직임은 급해 보이면서도 급하지 않으려 노력하는 듯했다. 나는 어느샌가 침대에 누워 차례차례 그의 이끌림에 따라 발가 벗겨졌다. 조명이 너무 밝아 눈이 부셔서인지, 아니면 그 조명에 비친 내가 부끄러워서인지 팔로 눈을 가렸다. 후, 하고 K가 한숨을 쉬었다. 조용한 집안, 너무나 조용해서 나는 그 숨소리에도 소름이 끼쳤다. 하는 건가? 침대에 눕혀진 나는 그의 무게에 완전히 눌리게 됐었다. 그 무게감, 순간 가슴이 심각하게 요동치면서 떨리는 것이 느껴졌다. 무서워, 무섭고도 떨렸다.

K는 긴장한 나를 알아챈 건지, 나의 목덜미에 키스해 주었다. 따뜻하고 자상한 숨결. 으음, 하고 탄성이 나와 눈을 질끈 감았다. 저번에는 마음의 준비가 되지 않아 어물쩍 넘어갔었는데 이번엔 피할 수 없겠구나. 그런 생각이 들었다. 그의 입술이 너무나 야하게도 나의 목덜미, 쇄골, 가슴을 한차례 씩 짚고 지나가서, 나는 저절로 몸이 꿈틀거리게 됐다. 하나, 둘, 셋. 부끄러움에 눈을 뜰 수 없었다. 깍지 낀 손에 열기가 전해지는 듯했다. 미운 젖꼭지. 그때 나는 혓바닥으로 치는 장난에 입술이 벌어질 수 있다는 것을 처음 알게 됐다. 한차례 장미꽃이 피는 듯했다. 아직 여려서 꽃봉오리를 여물고 있던 작은 장미. 부드러운 손길을 기다리던 장미였다. 그리고 그 꽃잎, 그 부드러운 손길에 점차 꽃잎을 하나둘 펼치고 있었다. 끊임없이 돋아나는 소름에 입에서는 간드러진 목소리가 새어 나오게 됐다. 붉은 꽃잎이 새겨지는 여린 나의 살결. 방안의 조명이 찬란하게도 그것을 내리쬐고 있었다. 천장에 드리운 빛이 그의 어깨너머로 희미하게 보여서 다행이라 생각했다.

그가 못 참겠는지 갑자기 몸을 일으키더니 나의 다리를 잡았다. 발기된 그의 것을 보는 것은 이번이 두 번째였다. 여전히 나의 마음은 준비되지 않았지만, 상황은 더 이상 나를 기다려 주지 않았다. 그의 눈빛 또한 이젠 참을 수 없다는 눈빛이었다. 그러고선 그는, 아니 나는. 그 무게감이 갑자기 들어오는 것에 놀라게 됐다. 생전 처음 느껴보는 무게감에 너무 놀라 하아, 하고 저절로 소리가 나왔다.

아프면 얘기해 줘.

아픈 것을 떠나 아랫도리에 불쑥 들어와 단번에 꽉 채워져 버린 나는 어찌할 줄도 모르고, 아무런 말도 할 수 없었다. 아래에 닿은 살갗이 계속해서 들어왔다가 나가고, 쓸려가면서 불이 붙는 것 같았다. 아무런 껍데기도 남아있지 않아 그 살갗이 더욱 생생하게 느껴졌다. 그 첫 느낌. 두툼한 그것이 빠져나가지 않고 계속해서 들어와 나를 괴롭히고 흔들었다. 나 혼자 손가락으로 장난칠 때는 완전히 다른 수준이었다. 하지만 아프고 고통스럽다는 생각은 들지 않았다. 오히려 금단의 사과를 막 맛보게 된 것처럼, 그것은 내게 완전히 새로운 경험이었다. 아랫도리로 전해지는 묵직함이 고통에서 쾌락으로 변해가며 단번에 선홍빛 열매가 되었다. 나는 그 느낌을 내 안에 가두고 싶어 본능적으로 그의 허리에 다리를 감쌌다. 아주 위험한 일일 거라고, 앞으로도 위험해질 거라고 누군가 옆에서 속삭이는 소리를 들었다. 그때 K도 불현듯 그 소리를 들은 건지, 아니면 완전히 풀어져 가는 내 모습을 보고 흥분한 탓인지, 그 물건을 꺼내 나의 배에 쏟아내게 되었다. 꽤 많은 양의 하얀 액체가 배에서 흘러내리는 것을 느끼고, 나 또한 가쁜 숨을 몰아쉬었다. K가 얼른 티슈를 가져오더니 그 많은 액체를 닦아주었다.

　나는 몸을 일으키고, 자리에서 일어나 걸음을 내디뎠다. 마치 한 마리의 새끼 사슴이 된 것처럼 조금 비틀거리게 됐다. 걸음걸이가 조금 달라진 것이 느껴졌다. 맞다, 파스타. 그러더니 K가 다시 프라이팬을 잡아 크림소스를 부랴부랴 부어 넣기 시작했다. 아무렴 어떤가, 파스타. 생각도 나지 않는 내가 좋아하는 파스타. 텅스텐광이 빛나는 밤거리를 걸으며, 아랫도리가 뻐근해지는 것을 느끼고, 오랫동안 그 빈자리를 그리워하게 될 거란 예감을 하게 됐다.

걱정

K의 집에 다다르자, 방안에 불이 켜져 있는 것이 보였다. 어? 그는 적잖이 당황한 것 같았다. 부모님이 늦게 오신댔는데. 괜찮아, 그럼 인사하고 좀 있다 가지 뭐. 나 또한 조금 놀랐었지만 그래도 인사라도 하면 좋지 않을까 싶어 흔쾌히 불이 켜진 그의 집에 발을 들여놓았다.

인자하신 분이었다. 나는 K의 어머님을 뵙고 그분의 미소가 참 아름답다고 생각하고 있었다. 저녁을 먹었냐고 자꾸 물어보셔서, 저희는 괜찮아요, 하고. 애써 거절하는 게 조금 힘들었을 뿐이다. 그분 또한 K의 여자친구가 집에 놀러 온 거라 하니 궁금한 게 많으셨을 터였다. 적당한 대답으로 분위기가 이어지고 방에 들어가서 놀아라, 라는 얘길 들을 수 있었다. 방에는 텔레비전이 있으니까, 영화라도 보라면서.

우리는 방문을 닫고 들어올 수 있었다. 그의 집은 벽이 얇아서, 틈 사이로 텔레비전 소리가 너무 시끄럽진 않을까 걱정이 됐다. 마침 텔레비전에서는 영화가 한편 하고 있어서 나는 그거나 볼까, 싶었다. K는 어땠는지 모르겠지만. 그는 방문 쪽을 스리슬쩍 쳐다보곤 했다. 그가 쓰는 책상과 거실장에 티브이가 있는 작은 방이었다.

*

　나는 저 방문이 갑자기 열리면 어떡하나 조마조마했다. 썬 과일을 건네주시며 이거라고 먹고 놀지 그러니? 라고 말을 거신다거나, 아니면 갑자기 나가신다고 문을 열고 인사를 하신다든지 하는 그런 상황. 그러거나 말거나 K는 신경 쓰지 않는다는 듯 그 움직임을 계속했다. 나는 그의 손에 양팔이 붙들려 어디에도 기대지 못한 채 다리를 떨게 됐다. 그도 내가 서 있는 게 힘들어 보였는지 팔을 놓아주어, 간신히 책상을 짚고 서 있을 수 있었다. 팡팡, 거리는 소리가 꽤 커서 텔레비전 소리가 옆방까지 들리진 않을까, 걱정이 되었다. 그런 생각을 하니 입을 꾹 다물 수밖에 없었다. 그럴수록 그 찰진 소리는 더욱 크게 울려댔지만, 내가 입을 열었다면 더욱더 큰 소리로 번져나갔을 것이다. 작은 방문 하나 사이로 누군가 지나다니는 기척이 느껴져 가슴이 찌릿했다. 말소리가 들렸다. 그 말소리를 듣자고 입을 꾹 다물진 않았지만, 얼떨결에 나는 그 대화를 듣게 되었다. 기분이 묘했다. K는 숨을 나지막이 쉬며 그 박음질을 계속할 뿐이었다. 리듬감 있게, 리듬감 있는 그 박자가 하나둘 나를 흔들어 댔다. 하아, 하고 겨우 한숨을 쉬게 됐다. 아랫도리의 따스함이 점점 아래로 타고 흘러 내려가 발바닥과 발끝으로 향하는 게 느껴졌다. 따스했다. 발가락엔 작은 불이 붙더니 금세 활활 타올랐다. 그 따스한 불씨, 나는 정신을 차리지 못한 채 겨우 책상에 엎혀 그 불씨의 따스함을 온전히 받고 있었다. 그리고 나의 걱정은 곧 환희로 바뀌어 갔다. 방문 뒤에서 그의 어머니가 부스럭거리는 소리가 들렸다.

안부

    나는 K가 너무 반가워 단번에 그의 품으로 달려갔다. 마지막으로 얼굴 본 지도 벌써 몇 달 전이라 기분상으론 좀 더 오래된 느낌이었다. K가 해군복을 입고 있는 모습은 꽤 멋있어서, 나는 오랜만에 심장이 두근거렸다. 보고 싶다고 편지를 쓸 때가 얼마 전이었는데 정말로 배를 타고 섬까지 오게 될 줄이야. 부모님께는 비밀로 한 일이었다. 하지만 결국 와버린걸, 어떠하겠는가. 주변을 지나다니는 남자들이 속닥거리는 소리를 언뜻 들었다. 그런 것보다 내가 K를 보고 싶어 하는 마음이 더 컸다. 그가 자신이 묵는 방이라며 문을 열어줬다.

    바깥에서 사람들이 훔쳐볼 수도 있어.

    K는 커튼이란 커튼은 모조리 닫으며 얘기했다. 암막 커튼이 하나둘 덮어지자, 방안은 순식간에 어두워졌다. 그는 바닥에 침구를 깔며 무언갈 생각하더니 다시 그 침구를 저 멀리 치워버렸다. 내가 잘 자리를 만들어 주는

건가? 그건 아닌 것 같았다. 그는 무언갈 생각하며 부랴부랴 집 안을 정리했다. 그러고선 내가 들고 있던 가방을 빼앗아 바닥에 던지더니 시선을 마주친 채 다가왔다. 보고 싶었다는 말도 없었다. 뭐가 그리 급했는지, K는 나의 옷을 순식간에 벗겨버리더니 팔목을 잡고는 몸을 홱 돌렸다. 잡힌 팔목에 나의 몸도 기우뚱하며 그의 움직임에 따라가게 됐다. 어두운 방 안 유일하게 불이 켜진 공간이었다.

　K의 그런 짐승 같은 모습. 아주 오랫동안 굶주린 야수 같았다. 나는 그가 그렇게나 과격한 사람인 줄 몰랐다. 내가 아주 많이 보고 싶었다고 말하는, 아니 나의 몸을 간절히 기다리고 있었다고 말하는 듯한 더듬거림이었다. 허리가 꽉 붙잡혀 옴짝달싹할 수가 없었다. 그의 가슴에 간신히 손을 올려 몸을 지탱할 수 있을 뿐이었다. 자꾸 다가오는 통에 몸에 중심이 잡히지 않아 벽에 부딪혔다. 그렇게 날카로운 키스를 하는 사람은 아니었다. 나는 그가 완전히 맛이 가버린 게 아닐까, 그런 생각을 했다. 얼마나 오래 참고 있었던 건지, 스무 살의 K에겐 너무나 힘든 시간이었던 걸까. 그렇게나 나의 몸이 그리웠던 걸까. 그런 생각이 들 정도로 그가 나를 주무르는 손짓은 아주 거세고 또 남자다웠다.

　소음을 차단해야겠다고 그가 샤워기를 틀었다. 따스한 물줄기가 나오며 그 물소리가 공간을 차지하는 것도 잠시 K가 나의 몸을 뒤집어 돌려놓았다. 으윽, 하며 조금 고통스러운 탄성이 나왔다. 너무 급한 거 아냐? 한순간에 사로잡혀 버린 탓에 발꿈치를 들고 그의 무게를 온전히 받아낼 수밖에 없었다. 나의 몸은 간신히 그 세면대를 잡고 지탱했다. 짐승 같은 K. 내가 숨을 제대로 쉬고 있는지 확인하고는 있는 건지, 사정 봐주지 않고 박아댔다. 화장실도 유난히 좁았다. K의 몸도, 공간에 꽉 들어차서 붙잡고서 있을 곳이라곤 오로지 세면대 아니면 벽밖에 없었다. 나는 그의 움직임에 따라 세면대를 잡았다가, 벽을 짚으며 그 좁은 공간에서 간신히 움직였다.

그 고통, 아주 쓰라리던 고통은 어느새 촉촉하게 젖어 사라졌었다. 어느새 나는 눈을 감고 그 화장실의 온기를 느끼고 있었다. 공기가 따뜻해진 탓인지 그 안에 나도 물들어 가, 차가웠던 손과 발끝이 따스하게 변해가는 것을 느꼈다. 하지만 K는 나와 달랐다. 좀 주춤해지는가 싶다가도 그는 분위기가 느슨해지는 것은 참을 수 없다는 듯이 다시 그 격한 움직임을 계속 이어 나갔다. 샤워기에서 나오는 소리보다 나의 소리가 크면 어떡하나, 싶은 정도였다. 밖에서 다 들리면 그가 애써 고민한 게 다 무용지물이 될 텐데 하면서. 내 안에서 무언가 꿀렁거리며 움직이고 이윽고 더욱 단단하게 가득 채워지는 걸 느낄 수 있었다.

하아.

하고 다리에 힘이 풀려 이제야 조금 말하려는 찰나, 나는 그의 페니스가 다시 발기되는 걸 보게 됐다. 몇 분도 지나지 않은 상황이었다. 나는 너무 놀라 눈이 동그래졌는데, 그러기도 잠시, 그가 다시 한번 나의 가슴을 확하고 쥐었다. 쉬고 싶은 생각은 조금도 없는지, 그는 손가락으로 더듬거리며 나의 아랫도리를 만져댔다. 조금 말라버렸던 부위가 신기하게도 다시금 그의 손길에 따라 반응하는 것을, 나 또한 매우 신기하게 생각했다.

과격한 키스였다. 그는 아직 허기가 다 채워지지 않은 모양이었다. 본 적 없는 모습이라 낯설면서도 나는 그게 나쁘지 않았다. 얼마나 하고 싶었으면, 얼마나 내 생각을 많이 했으면. 이렇게 물고, 빠는 걸까. 그는 나의 목덜미를 조금 더듬거린다 싶더니 역시 못 참겠는지 다시 한번 내 몸을 뒤집어 그대로 들어왔다.

이번이 다섯 번째인가, 그런 생각이 들었다. 알 수 없었다. 나는 온몸에 힘이 완전히 풀려 벽을 짚고 겨우 서 있었다. 다리가 후들거리며 아무런 말

*

도 나오지 않아 결국 바닥에 주저앉게 됐다. 그때 K가 나의 몸을 부축하여

아까 깔아놓은 그 침구 위로 데려다줬다. 절뚝절뚝하는 내 발걸음이 어쩐지 불쌍하면서도 섹시하게 보였다. 그제야 침구 위에 앉게 됐는데, 그가 어깨를 밀쳐 이제는 바닥에 눕게 됐다. 그가 나의 양다리를 잡더니 다시금 한 번 더 들어오는 것이 느껴졌다. 암막 커튼 덕에 어두운 방 안, 텔레비전의 파란 불빛만이 우리를 비춰줬다. 그때 K의 눈빛. 다 삼켜버리겠다는, 아직 끝나지 않았다는 눈빛이 나를 바라보고 있었다.

M

저기 봐봐요. 달이 떴네.

조금 춥겠는데, 라고 생각이 드는 날이었다. 갑자기 한강에 가자고 해서 몇 걸음 이동한 저녁 밤, 날이 선선해져서 그런지 사람의 발길이 많이 준 듯해 보였다. 강과 도시 사이를 걷는 것이 처음은 아니었지만, 그날 밤은 이상하게도 참 고요했다. M은 길을 걷다가 문득 무언가 생각난 듯 배시시 웃었다. 내 뒤에 서서 나를 품에 안은 채로, 같은 밤하늘을 보고 싶어 했던 것 같다.

다은씨는 참 사랑스러운 거 같아.

강 건너에 있는 도시 불빛을 보며 내 마음에도 별이 떨어졌다.

왜 아직도 꿈에 네가 나타나는지 모르겠지만 아무튼 너를 보고 나는 너무 반가워서 손을 꼭 잡고 잠시 바라봤어. 임신했다는 소식은 좀 나중에 얘기하고 이 순간을 즐기고 싶다고 생각하면서. 얼마 전에 또 멍청하게 너랑 닮은 사람 인스타그램 구경하다가 그런 꿈꿨나 보다.

너에게 헤어지자고 한 날을 아주 미안하게 생각하고 있어. 너의 싱그러움을 다 감당하긴 힘들다는 걸, 잠시 홀가분하다고 생각했던 것 같아. 다리 아래에서 물가에 비친 조명을 한참 구경하다가 키스했던 밤.

사귈까요?

나는 네가 생각날 때마다 라라랜드를 봤어. 얼마나 봤을지 모르겠을 정도로 이젠 그 수를 세지 않고 있지만, 항상 모든 것을 열심히 하였던 순수했던 너는 지금 어디에서 뭘 하고 있을지 그리워져. 크리스마스인데, 크리스마스인데.. 어딘가에서 웃고 있기를.

리본

　종로의 불빛들이 스며든 청계천이 그렇게 아름다웠던가. 나는 M의 옆에 앉아 멍하니 그 불빛을 바라보았다. 어두운 밤 사람들이 걸어가는 소리. 아름다운 풍경 속에 그가 있었다. 다가오는 그림자에 내 입술은 너무나 자연스럽게도 그의 입술에 맞닿게 되었다. 닿은 입술에서 온 전율은 온몸에 퍼지더니 나를 화끈하게 만들었다. 나는 사랑에 빠졌나 보다. 이렇게도 달콤할 수 있다니, 나는 너와 사랑에 빠졌나 봐. 그런 생각이 들었다. M과 만난 지 단 두 번째 된 날이었다. 여기 옆에서 좀 쉬다 갈까? 나는 무슨 생각이었는지 이전에는 한 번도 그런 적이 없으면서 그에게 먼저 모텔에 가자고 얘기했다.

　M은 귀엽게도, 내가 '쉬자'라고 얘기한 게 피곤함을 의미한다고 생각했나 보다. 침대에 앉아 조용히 손목시계를 푸는 그의 앞에 서서 가슴 앞섬에 있는 리본을 풀었더니 눈이 동그래졌다. 자그만 리본을 묶을 수 있는 셔

링 형태의 블라우스. 나는 그의 안경을 벗겨줬다. 맑고 청량한 눈동자가 나를 빤히 쳐다보고 있었다. M은 잠시, 그러니까 한 몇 초 정도 말이 없더니 자리에서 벌떡 일어나 그 블라우스를 벗겨버렸다. 그는 나의 블라우스고 치마고, 팬티고 다 집어 던졌다. 옷이 벗겨진 건 순식간이었고, 그는 나를 들쳐 안고 탁자 위에 올려놨다. 탁자가 흔들릴 거란 걸 아는 눈치였다. 모서리 부근에 나를 밀어 넣고 양다리를 올리게 했다. 아직 씻지 못한 음부가 훤히 그에게 보이게 됐다. 그렇게 순식간에 탁자 위에 올려진 건 처음이었다.

M은 자신의 팔 위에 나의 다리를 걸치고 자신의 것을 밀어 넣었다. 아직 콘돔도 하지 못한 상태였지만 그를 밀어낼 수 없었다. 너무 가까이 다가와서 앞이 보이지 않았다. 모텔의 조명불이 그의 등에 닿아 내 앞에 그림자가 되고, 가쁘게 숨을 쉬고 있는 M이 보일 뿐이었다. 조금은 뻑뻑한 나의 아랫부분이 부드럽게 젖어갔다. 나는 그의 뺨을 조심스럽게 만지다가 어깨에 손을 올렸다. M은 주체하지 못했나 보다. 발에만 걸쳐져 있던 그의 바지가 발길질에 저 멀리 던져졌다. 그는 여전히 팔에 나의 다리를 걸친 채 탁자를 잡고 그 거친 움직임을 계속했다. 흔들림에 몸을 지탱할 수가 없어 엉덩이가 미끄러져 갔다.

그가 나의 엉덩이를 들어 올려 침대로 옮겼다.

*

M은 누워있던 내 몸을 일으켜 자신을 바라보게 했다. 맞닿은 부분이 축축하게 젖어 더욱 끈적하게 느껴졌던 것 같다. 나는 그게 좋아 그의 목에 팔을 두르고 좀 더 가까이 붙어봤다. 내 코끝이 그의 코끝에 닿게 됐다. 입술은 닿을락 말락, 장난을 쳤다. 눈을 감으니 그 숨결이 더욱 생생하게 느껴졌다. 나를 사랑해 줘. 그의 머리를 잡아봤다가, 목덜미에 키스해 봤다가. 나는 M과 순식간에 사랑에 빠졌는지 그의 모든 걸 만지고 싶어 했다. 그러면 나

는 그를 좀 더 가까이 느낄 수 있었다. 빠르게 엉덩이를 흔들어 봤다. 뜨거운 숨이 아래까지 전해지는 것 같았다. 양다리를 꼬고 그가 도망가지 못하도록 했다. 가지 마, 계속 내 안을 채워줘. 나는 가득 차오른 그 느낌이 너무 좋았다. M도 아마 알고 있었을 것이다. 내가 무척이나 좋아하고 있었단 것을.

M은 나와 함께 침대에 누워있다가 문득 입을 열었다. 너무 모텔에만 와서 답답하지 않아요? 나는 그 질문이 의아해서 왜 그런 질문을 하냐고 물었다. 그냥, 전에 사귀던 사람들은 자기랑 하려고 만나냐고 뭐라고 했거든. 아냐, 그렇지 않아. 나는 좋은데. 나는 그의 말을 힘껏 부정했다. 그래도, 싫으면 말해요. 당신이 떠날까 봐 무섭거든. M은 부끄러운지 팔로 눈을 가렸다.

나는 카페 냅킨에 장난스럽게 내 얼굴을 그리는 네가 좋았어. 네가 아이스크림 케이크를 안겨주던 그날을 아직도 기억해. 그 추운 겨울날 강남과 역삼 온 동네를 돌아도 찾을 수가 없었다고 하소연하던 너를, 내가 아이스크림 케이크 얘기를 했었다고. 그 사진 속에 빨간 목도리를 한 채 어린아이처럼 웃던 나를 보고 나도 너의 사진을 하나 찍을 걸 그랬다 하는 생각.

시간을 되돌릴 수 있다면 너에게 헤어짐을 고했던 그 날로 돌아가고 싶어. 전 여자친구가 만날 때마다 그거만 생각하냐고 했다고, 나도 비슷하게 생각할까 봐 걱정된다고 했던. 아니었는데, 나는 네가 나 만날 때마다 그 생각만 들어서 좋았는데. 모텔비 아까워서 오늘은 참아보자 했던 날이 생각난다. 그깟 거 얼마 한다고 아깝다고 안 하고 그랬는지.

욕조

잠깐만, 물 먼저 틀어놓게.

예년 때와 다르게 좀 더 추운 날이었다. 몸을 부르르 떨며 바깥에서 돌아다닌 시간은, 정말 날씨가 미쳤구나.라는 생각이 들 정도로 이상했다. 나와 M은 동시에(라고 해도 좋을 정도로) 이런 날 따듯한 물에 몸 좀 담그면 좋은데, 라고 말했다. 나는 하하, 하고 웃었고 M은 그런 나를 보고 어서 따듯한 물에 들어가고 싶다며 속삭였다. 이렇게 붙어있음 가을답지 않은 이날의 추위도 조금 견딜만하구나, 생각하면서 M의 팔에 꼭 안겼다. 나는 빨리 따듯한 욕조에 들어가고 싶다고 보챘다.

음, 아니야-

물을 틀자마자, M은 나를 찾았다. 방금까지만 해도 따듯한 물에 들어가면 좋겠다고 외치던 사람이었다. 뭐야아, 하고 얘기하자 M은 나를 꼭 안고 음부에 손가락을 들이밀었다. 정말 찬 바람을 맞고 있었구나 우리가, 이렇게 찬 줄 알았으면 좀 더 일찍 들어올걸. 하는 걱정이 들었다. 그의 손가락이 부드럽게 움직이며 허리에 몇 번 지나가자 언제 그랬냐는 나의 몸도 M의 손가락도 조금씩 따듯해지고 있었다. 쏴아, 하고 욕조에 물이 채워지는 소리가 들려 방안이 좀 더 고요해지는 듯했다. 조용한 물소리가 마음을 평온하게 만들어 주는 내내, 따듯해진 M의 손이 나의 가슴을 어루만져 주었다.

내가 M의 어깨 구석구석을 스펀지로 문지르고 있을 때면 꼭, 그는 세차하는 것 같아.라고 말했다. 나는 물을 한 움큼 움켜쥐어서 M의 목덜미에 갖다 대었다. 딱 맞는 온도의 비눗물이 흘렀다. 응, 그런가. 세차하는 건가. 타야지, 이따가. 나는 장난스럽게 하하, 하고 웃었다. 그는 그런 내 모습이 귀여웠는지 끌어안았다가, 그거론 성에 차지 않는 듯 볼에 입술을 갖다 댔다가 다시 한번 귀에 맞닿았다가, 다시 돌려 키스하였다. 맞닿은 등이 물살 때문인지 좀 더 뜨거워지는 듯했다. M의 품도 그러했다.

나는 그와 함께하는 샤워를 좋아했다. 그의 몸을 닦아주고, 그가 나를 닦아주는 시간을. 운동은 하지 않지만 우람하고 듬직한 몸이었다. 비눗물이 수건에 축축하게 젖어 우리의 몸에도 잔뜩 묻게 되었다. 그러면, 우리는 좀 더 서로를 부드럽게 만져줄 수 있었다.

하, 하고 한숨이 나왔다,

물 온도를 너무 높인 탓이었나, 유리에 김이 나 있는 것을 보니 꽤 높구나. M이 욕조 안에 들어있는 내내 아랫도리에 장난을 쳐서 그런 건가, 그런 생각이 들었다. M은 제법 따듯해졌다는 걸 자랑이라도 하는 듯 나를 안은 채로 손가락을 문질문질 했다, 그 순간 그의 모습은 보이지 않고, 다리 사이로 지나다니는 손가락만 보였다. 나는 어서 그를 끌어안고 싶어 안절부절못하게 됐다.

투명한 막 사이로 찰랑거리는 물살, 나는 한숨 쉬고 나서 뒤를 돌아 M을 바라보았다. 물살이 다시 한번 찰랑였다. 따듯한 물 사이로 단단해진 것이 들어오니 더욱 포근해지는 느낌이 들었다. 나를 가득 채워줘. 네가 너무 좋아. 나의 몸엔 수증기가 됐다가 이젠 물방울이 되어버린 그 욕조 물이 맺혀 있었다. 그가 물살을 흔들면서 깊게 들어와 어쩐지 더 묵직하게 느껴졌다.

사랑스러운 하현의 달

이렇게 있으니까 둘만 있는 기분이네.

한 시간을 넘게 줄을 서야 하는 푸드트럭을 뒤로 한 채, 우리는 유유히 자리를 빠져나왔다. 사람들은 이제 페스티벌이 시작됐다는 것을 보여주기라도 하는 듯 여기저기서 사진을 찍고 구경하고 있었다. '갈까?'라는 말이 나온 건, 그들과 마찬가지로 장난스럽게 게임을 하다가 무심코 안았을 때였다. M이 뒤에서 나를 조용히 안았다. 그러자 등과 어깨가 평평한 M의 가슴에 닿았는데, 그렇게 폭 안긴 느낌이 좋아서 나는 M의 팔을 만지작거리다 이내 발을 비비 꼬게 되었다. 인파를 지나, 강가 언저리로 옮기는 데엔 시간이 얼마 걸리지 않았다. 마포대교 옆엔 페스티벌 때문인지 사람이 별로 없었고 우리는 그 끝자리에서 강을 바라보았다. 바람이 제법 찼다. 하지만 그가 다시 한번 안아주는 덕에 또다시 아무렇지 않게 됐다.

응. 그러게.

오늘도 달이 이쁘네요.

달은 유연하게 휘어있었다. 여린 노란색의 하현달. 진한 보랏빛을 띠는 밤하늘에 액세서리처럼 콕 박힌 듯한 모양이 이상했다. M은 나를 안은 채 그 달을 조용히 바라보다, 내게 키스했다. 저릿하고 뜨거운 입김. 그러고 나서 M은 입가를 볼에 한번, 귓가에 한 번 머물다 지나갔고, 나는 웃음이 나왔다. 간지러웠다.

다은씨는 너무 사랑스러워. 지금 당장 안고 싶다.

*

참으로 아이러니한 일이었다.

M의 입가가 다리, 종아리에 닿았을 때도 간지러움은 여전했다. 무감각하고 별다른 느낌 없는 일상이어서 그랬을까, 구름 한 점이 지나간 듯 주욱 줄을 긋는 덕에 난생처음 샛노랗게 퐁퐁, 다리 사이사이로 곳곳에 빛이 나게 됐다. 내 다리에 새겨 놓는 것 같았다, 별을. M의 입술을 따라 곳곳이 빛났고 그 길이 이어져, 발에 닿았다. 놀라서 눈을 뜨니 M이 살포시 눈을 감은 채 내 발에 키스하고 있었다.

입김이 요란스럽구나, 정말 네 입김은.

왜 이렇게 예뻐요?

어깨를 잡고 물어보는 통에 M은 뒤에 있었지만, 나는 그의 얼굴을 보고 대답할 수 있었다. 글쎄, 나지막이 대답하자 M이 턱과 입술 사이로 힘겹게 키스했다. 그리고 보라는 듯 거울을 가리켰다. 등과 허리를 쓰다듬으면서 동시에 어깨에 키스하고. 마치 뱀이 지나가는 듯 유연하게, 모든 것은 일사천리로 이루어졌다. 나는 그러한 일련의 행동들이 더욱 아름답게 보였기 때문에 M의 질문에 대답할 수 없었다. 그리고, 그러다가.

다시 한번 문득 바라보니 내 모습에 하현달이 보였다. 아, 아까 봤던 그

달이 보이는구나. 그래서 네가 예쁘다고 하는구나. 어쩐지 조금 이해가 됐다. 밤하늘에 우아하게 빛나는 하현달. 하지만 그런 거 알고 있어? 보랏빛 밤하늘이 도와줬기 때문에 더욱 영롱하게 빛날 수 있었던 거야. 네가 나를 빛나게 해 주었던 거야. 나를 안아줬던 그 순간부터 따듯해진 내 살결 덕에.

등줄기

　강한 햇살이 내리쬐는 여름날은 무얼 해도 등줄기에 땀이 맺히는가 보다. 그때 그랬다. 몸을 씻을 새도 없이 시작된 탓인지, 바깥의 열기가 그대로 들어온 듯한 기분이 들었다. 아마 씻었어도 닦아낼 수 없었을 것이다. 이렇게 차가운 바람을 맞고 있는데도 불구하고 계속해서 땀이 나는 것을 보면.

　이리 와봐요. 여기 잡고.

　아니나 다를까, 땀으로 엉망이 된 머리카락에 몰골이 말이 아니었다. 어떻게든 해봐야겠단 생각이 들어 손을 뻗었는데, 중심을 잡기가 힘들어져 그대로 멈추게 됐다. 거울 표면에 미끄러진 손바닥이 닿아, 손끝에 힘이 들어갔다. 그러자 그도 내가 몹시 흔들리고 있다는 것을 알았는지 한 손으로는 허리를, 한 손으로는 가슴을 잡으며 지탱할 수 있도록 도와주었다. 나는 간신히 손을 떼어 머리를 넘겼고, 목을 힘껏 뻗었다가 다시 책상을 잡았다. 발끝으로 그대로, 흔들리듯 서 있으니 힘들 만도 했다. 그러고 보니 어디선가 들었었지. 고통 속에 낙이 있는 법이라고. 무더운 여름날에도 아킬레스건에 힘을 싣고 서 있는 덕에 이렇게 발끝이 저릿저릿할 수 있는가 보다.

괜찮아요? M이 물었다.

겨우겨우 괜찮다고 말하자 안 들린다는 듯 다시 한번 물어본다. 으응, 괜찮아. 라고 오물오물 얘기하자 M은 그런 나의 모습이 사랑스럽다는 듯 끌어안아 줬다. 자연스럽게 상체가 일으켜지더니 입술이 어깨에 닿는 것이 느껴졌다. 어깨가 꽃분홍으로 물들어, 한번 찌릿, 하고 땀방울을 내뱉었다. 땀방울이 등줄기를 타고 그대로 주르륵 흘러내려 무언가에 톡 하고 부딪혔다.

M의 손끝이었다.

여기가 예뻐.

사무실

　여의도의 직장인은 어떤 건가, 그런 게 궁금했던 것 같다. 정장을 입고 출근한다는 건 어떤 기분인 거야? 보안 카드키를 찍고 들어가는 건 어떤 느낌이야? 나는 M에게 그런 아이 같은 질문을 해댔었다.

　일요일이 되면, 사무실에 가보자고 그가 말했었다. 주말은 그 주변 가게도, 사람도, 개미 한 마리도 보이지 않는다고 했다. 나는 그때가 좋을 것 같다고 말했다. 그의 사무실을 구경하기엔 제격일 것 같았다. 다행히 날씨는 화창했다. 걷기도 좋을 날이었지만 오늘은 꼭 한번 들어가 보고 싶어서, 나는 업무상으로 방문한 척 건물 로비에 이름을 쓰고 그의 뒤를 따라 들어갔다. 아무런 죄도 짓지 않았는데도 불구하고 꽤 긴장됐다.

　문을 열고 들어가니 단란한 사무실이 보였다. 생각했던 것보다 그가 있는 공간은 작았다. 테이블이 7개 정도, 작지만 깔끔한 사무실이었다. 불을 켜지 않아 조금 어두웠지만 창밖으로 들어오는 햇빛이 있어 나쁘지 않았다.

나는 그 햇빛이 좋아 그의 의자에 앉아 빙그르르 돌았다. 내가 귀여운지 M
이 다가와 머리를 쓰다듬었다. 별거 없지? 이제 나갈까요?

아니, 좀 더 있고 싶은데, 난.

나는 무슨 생각인 건지, 갑자기 발칙한 상상이 들어 의자에 앉아 M의 엉
덩이를 콱, 하고 쥐었다. 나가고 싶은 마음은 없었다. 안돼, 여긴. 들키면 진
짜 큰일 나. 그가 말했다. 누군가 밖을 돌아다니다 이상한 기척을 느껴 문이
라도 두들기면. 그는 만일의 사태를 대비해 일단은 나가자고 했다. 나가서
하자고. 나는 M의 그런 모습에 조금 심술이 나 그의 바지 버클을 풀었다. 버
클을 풀자, 바지를 내리는 것은 어려운 일도 아니었다.

안된다니까. 그가 사정하듯 지금 여기선 안 된다고 한 번 더 얘기했다.
나가요, 다은씨. 흘러내리려는 바지를 잡고 다시 올려보려 했다. 그렇든 말
든, 이미 내 귀엔 들리지 않았을 뿐이지만.

그의 팬티 위로 손을 갖다 대 보았다. 잡아보니 이미 발기가 되어있는
데, 무슨 소릴까. 그런 생각이 들었다. 나는 그 팬티 위로 손을 비벼 보았다.
손바닥을 이용하여 부드럽게 쓸어내렸다가, 다시 올렸다. 작은 알맹이도 살
짝 만져보면서. 그의 사무실 의자에 앉아 장난을 치니 기분이 묘했다. 그가
올리려던 바지와 속옷을 다시 내 맘대로 내리고, 입에 물어봤다. 적당히 어
두운 분위기가 잘 어울리는 사무실이었다. 특히나 그의 책상은 문 쪽에 있
어서, 햇빛은 더욱 멀었고, 테이블에 가려진 우리를 아슬아슬하게 비춰주고
있었다.

네가 좋아, 미치도록. 나는 완전히 그에게 빠져있었다. 나이는 어려도 착
실하게 일하고 있구나. 너의 책상을 보니 어쩐지 네가 더 귀엽고 멋있어 보
여. 나는 그런 생각을 했다. 의자에서 일어나 그를 앉혀보았다. 그러는 편이
더 편할 것 같았다. 무릎을 꿇고 의자에 앉는 그의 다리 사이로 들어가 얼굴
을 파묻었다. 맛있는 향기. 여름 날씨가 느껴지는 진득하고 농밀한 향기였

다. 나는 그 단단한 뿌리가 어쩐지 평소보다 더 멋있게 느껴져 혓바닥을 넓게 벌려보았다. 그 혓바닥에 닿은 너의 페니스. 당장 갖고 싶다는 생각이 절로 나, 무릎을 꿇고 앉아있는 것만으로도 아랫도리가 따뜻하게 젖어오는 것이 느껴졌다. 고개를 들어 M을 바라보니 그가 고개를 젖혀 먼 하늘을 쳐다보고 있는 게 보였다. 한숨을 하아, 하고 내쉬면서.

장난은 그만 칠까, 라는 생각이 들어 팬티는 벗고, 치마는 올려 그의 다리 위로 올라갔다. 의자가 삐걱, 하는 소리가 들렸다. 그렇게 올라올 줄은 몰랐던 건지, 아니면 의자 소리가 너무 컸던 탓인지 M은 조금 놀란 눈치였다. 어영부영하는 사이 그의 물건을 잡고 넣어봤다. 따뜻한 온기가 단숨에 전해져서 그랬을까, 그가 다시 한번 더 한숨을 쉬었다. 나는 두 팔로 그의 머리를 꽉 잡았다. 가슴에 그의 숨결이 닿는 것이 느껴졌다. 완전히 갇혀버려 이제는 벗어날 수 없다는 생각이 들었는지, M은 그제야 움직이기 시작했다. 그 리듬감에 나의 몸도 흔들리며 의자가 다시 한번 삐걱거렸다. 사무실이 너무나도 조용해서 의자가 움직이는 소리는 유난히 더 크게 들렸다. 그 소리가 우리를 더 긴장하게 했다. 바깥에 누군가가 지나가는 소리가 들리는 듯 해 숨소리도 낼 수 없었다. 나는 그저 조용히 그의 목덜미에 얼굴을 묻고 M의 리듬감 있는 움직임에 몸을 맡길 뿐이었다. 그의 머리카락, 얼굴, 안경, 가까이서 보니 더욱 예뻐 보였다. 머리카락을 살짝 건드려 보았다. 목덜미를 손으로 잡고 몸을 조금 띄어봤다. 치마 뒤로 가려진 음부가 더욱 야해 보였다. 의자까지 젖은 건 아니겠지. 나는 허리를 움직여 그의 페니스가 내부를 긁어보게 했다. 앞뒤로 부드럽게 움직이는 걸 그 사람만 좋아하는 건 아니었다. 목덜미를 잡은 손에 조금 힘이 들어갔다. 그의 이마에 이마를 맞대어 열기를 조금이나마 나눠보고자 했다.

그가 안 되겠는지 나를 내리고 자리에서 일어서더니 책상 위에 쾅, 하고 눕혔다. 치우지도 않고 누운 터라 이것저것 놓인 상태라서 손바닥으로 간신히 그것들을 옆으로 치웠다. 아랫배를 책상에 지탱하고 엉덩이를 들어 올렸다. 그러면, 그렇게 하면 서 있는 자세가 그래도 덜 힘들었다. 그 무게를 받아내기에. M은 그런 내가 좋았던 건지 참고 있던 욕구를 다 풀어내고 싶었는지 엉덩이를 꽉 잡더니 조금 과격하게 움직이기 시작했다. 으윽, 하는 소리가 절로 나오려는 걸 겨우 참았다. 말소리를 참는다는 것이 이토록 힘든 줄은 몰랐다.

먼 자리를 바라보니 네가 있었다. 나는 여기까지 웬일이냐고 물었고, 너는 보고 싶어서 왔다고 했다. 나도 네가 너무 보고 싶었어, 라고 얘기하자 우리는 누가 먼저랄 것 없이 울기 시작했다. 이럴 줄 알았으면 네게 가장 먼저 연락할 걸 그랬다고, 한 번도 잊은 적이 없다고 했다. 나의 이런 말은 얼마나 오래 가슴속에 머물렀는지 꿈속에서도 선명하게 기억났다. 이렇게 말하는 나에게 나도 보고 싶었다고 말해준 네가 정말 고마웠다. 이런 때는 내가 사랑하는 것이 무엇인지 확실해져서 사랑을 두고 온건 확실하구나, 하는 생각이 드는데. 행복에 대해선 모르겠다. 행복하다는 생각이 종종 드는 걸 보면 또 나쁘지 않은 것 같고. 나도 나를 모르겠다. 그러고 보면 사랑을 한다고 꼭 행복한 건 아니고, 행복의 조건이 사랑만은 아닌 것 같다.

O

　기억하고 싶지 않았는지, 아니면 기억이 나지 않는 건지. 나는 그날의 섹스를 자세히 떠올리지 못했다. 한 가지 기억나는 것은, O는 굉장히 변태같이 나를 더듬고, 나와 하고 싶어 하고, 키스했음에도 불구하고 막상 관계할 때는 그리 특별한 짓은 하지 않았다는 것이다. 미안하지만 그의 물건이 어땠는지조차 기억이 나지 않는다. 내가 사귀는 사람이 아니면 빨기 싫다고 거절하자 실망스러운 표정을 하긴 했었다.

술값

택시 타고 갈까?

너 와인 좋아하잖아, 라고 물어보았었다. 2차는 어디가 적당하겠냐고, 가고 싶은 곳이나 생각해 둔 곳이 있냐고. 제법 값이 나가는 저녁밥을 먹었기에 별로 내키지는 않았지만, O는 계속해서 어떤 게 좋을 것 같냐고 물었다. 글쎄다, 딱히 생각해 둔 곳은 없는데 어쩐지 평소에 가보지 않은 곳이었으면 좋겠어, 라고 얘기를 하니 그는 대뜸 잘 아는 술집이 몇 개 있다고 했다. 그중에서도 더욱더 술이 맛있는 곳이 있다고. 어찌 됐든 택시를 타고 이동하는 게 좋을 것 같다고 했다.

택시는, 쉽게 잡혔다. 평소에 타려고 하면 그렇게 잘 서지도 않고 막상 타고 보면 제대로 가는 것 같지도 않은 그 택시가. 몇 번이고 지겹다고 질린다고 생각했던 택시가 그곳으로 가려고 하니 술술 잘도 흐르는 것만 같았다. 이동되는 것이 느껴지지 않을 정도로 유려하게 굴러가는 바퀴 위에서,

그와 나는 나란히 앉아 조금 어색하게 창밖만 바라보고 있었다. 일찍 도착했으면 좋겠다는 생각이 들 정도로 어색하다고 느꼈던 택시가 그와 있으니 더더욱 부자연스러운 물체가 돼버리고, 별다른 생각도 들지 않게 됐다. 으응, 그래? 거기 있구나. 그런 곳이 거기에 있었구나 하고 대충 맞장구를 칠 뿐이었다.

맛있네.

괜찮아? 이것도 먹어볼래?

응, 맛있다.

자주 가던 동네에서 멀지 않은 곳에 있는 술집이었다. 한 번이라도 고개를 돌렸으면 더 가봤을 곳. 그는 그 술집에 곧잘 오는 듯, 이런저런 위스키도 있는데 보관도 잘 되어 있고 상태도 좋아 키핑 해두고 틈날 때마다 마시러 온다고 했다. 주종에 관심이 많은 나는 그런 이야기들을 재밌게 들었다. 술에 대한 여러 가지 얘기들, 그런 사이에 점원은 잘 정리되어 있는 안주를 내어놓았다. 모양새가 깔끔했다.

예쁘게 생겨 살짝 건드렸더니 조금 전의 모양새가 아니게 됐다. 깔끔했던 지난 시간의 모양은 없어지고 내가 건드렸던 그대로 흐트러져 있었다. 그런가, 취해서 그렇게 보이는 건가.라고 생각하다가 금세 그게 아니라 정말로 내가 흐트러트린 그대로 움직여 버리고 말았군. 하고 생각을 고쳐먹었다. 기분이 조금 이상했지만, 별생각 하지 않고 술과 음식을 맛보았다. 그랬더니 건드리는 그대로 시시각각 달라지는 모습이 재밌었다. 음식은 잘 보이고, 술은 달라지는 것을 알 수가 없는 것이. 술이라 그런가, 물이라 그런가. 아니면 내 눈을 현혹해 달라지는 모습을 숨기는 것이려나. 하는 생각이 들었다.

그랬어? 그랬어. 하며 그와 대화를 했지만, 별다른 내용이 기억나지 않는 걸 보면 나는 그 술이 참 좋았나 보다.

다른 곳 가자.

뭐 그렇게 급히 계산한다고, 비싼 저녁밥에 꿍해있던 내가 기어코 계산하려고 하니 그보다 더 위에 카드를 올려놓았다. 어쩐지 빚을 지는 것 같은 기분이 들어 다음엔 내가 꼭 살게, 라는 말을 하니 그는 괜찮다며 손사래를 쳤다. 처음부터 계산하려고 생각했던 것이려나, 아니면 처음부터 계산해 놓은 술값이려나. 아무렴, 처음부터 계산해 놓은 술값이라면 좀 어떤가. 그런 생각을 하고 있었다. 이미 맛도 좋고 기분도 좋게 만들어 주는 것을 다 들이킨 것을. 그때쯤 그가 그런 말을 했다. 다른 곳 가자고. 어디냐고 물었지만 그에 대한 대답은 알 수 없었다. 정확히 말하면 파악을 할 수 없었고, 어디라고 얘기하는데도 이상하게 그 소리를 알 수가 없었다. 딱 집어져 있지 않았다. 아마도 그것은 어떠한 명사를 가리키는 것이었나 보다.

싫어, 안된다고. 안돼.

왜? 괜찮아. 나 너랑 하고 싶어.

내리자마자 마주친 차디찬 바람 앞에 온 정신이 흔들리는 것 같은 기분이 들었다. 이 동네가 이렇게나 바람이 셌구나, 하고 생각이 들 정도로 자주 드나드는 곳이었건만. 그 순간 따라 유독 더 차갑게 느껴졌던 건지 나는 휑하니 서서 이러지도 저러지도 못한 채 발만 동동 구르게 됐다. 그러면서 내 팔목을 꼭 잡고 끌어당기는 걸 따라가지 않고 서 있었다. 발끝에 힘이 들어가는 것이 느껴졌다. 본능적으로 잘못된 것이란 생각이 들었던 건지 이런 식으론 싫다고 생각했던 건지, 아무튼 나는 그가 이끌든 말든 상관없단 식으로 떨어져 나가려 했다. 밀치고 당기는 상황이 찬 바람과 휘감겨 제법 웃기게 되고, 잠깐이나마 설렜던 결과가 이런 것이었나, 라는 생각이 들 때쯤 그의 손아귀에 힘이 풀리는 것이 느껴졌다. 아아, 그래. 이런 식으론 안돼. 안 되는 일만 만들어 낼 뿐이야. 나는 그를 토닥이고 지금까지의 일이 어땠길래 이런 상황으로 흘러갔는지를 생각하게 됐다. 별로 잘못된 건 없었는데. 그러면서 또 그의 이야길 듣게 됐다.

그의 이야기는 이전과 별다를 게 없었지만, 어느 순간 나는 그와 섹스를 해보고 싶다고 생각했다. 춥기도 했고. 아니다. 춥다는 것은 핑계일 뿐, 그냥 갑자기 그와 섹스해 보고 싶다고 생각했다. 호기심이 정적도, 결단력도, 단호함도, 냉철함도 다 잊어버렸던 걸까. 정신을 차리고 보니 나는 하얀 침대에 앉아 그가 씻는 것을 기다리고 있었다. 사실 나는 같이 씻는 걸 좋아하는데. 이렇게 따로 씻고 있자니 더 연인이 아닌 거 같잖아. 지금 뭘 하는 걸까.

나는 조금 전까지만 해도 내가 먼저 들어와 놓자고 해놓고 꼭 붙들어진 생선이 된 것 같았다. 이렇게 계획에 없던 일은 안 좋아하는데, 잠시 생각에 빠진 사이 O가 샤워를 마치는 소리가 났다.

S

나는 잠든 S를 두고 모텔방을 나왔다. 잠든 모습도 참 예쁘게 생긴 사람이라고 생각했다. 내일 다시 출근하려면 옷을 갈아입어야 했다. 시간은 늦었지만, 택시를 타고 집에 가기로 했다. 술과 섹스로 온몸이 천근만근이었다.

꿈에서 S를 만났다. 나는 집에서 몰래 나와 S에게 연락했고 언제 만날 수 있는지 물어봤다. S는 지금은 시간이 안 될 거 같다고 했다. 나는 애가 타서 어떻게든 시간을 만들어 보려 했지만 그럴수록 일은 잘 안 풀렸다.

S에게는 콘돔이 잘 들어가지 않았다. 자기도 아는지 잘 안될 거라고 하면서 손수 콘돔을 끼웠다. 그 느낌은 방망이가 들어오는 느낌이라고 하면 딱 걸맞겠다. 아 이런 걸 보고 몽둥이가 들어온다고 하겠구나 싶었다. 그는 나보다 4살 어렸다. 좀 당돌하고 웃긴 면이 있구나 싶었다. 여자가 궁할 거 같진 않았다. 아니면 오히려 자신감이 넘쳐서 말을 걸었었는지도 모르겠다. 나도 S의 눈물점이 귀엽다고 생각하던 참이었다.

점

    S는 내 맞은편에 앉아있었다. 일부러 자꾸 술을 먹이고 자신의 것은 버리는 것이 보였다. 뭐 하자는 걸까? 그가 나를 힐끔힐끔 쳐다보는 게 느껴졌다. 저번 회식 자리에서 옆자리에 앉았을 때 뭔가 느낀 걸까? 아니면 오늘 자리에 찾아갔을 때 내가 웃어 보인 게 매력적으로 느껴졌던 걸까? 어디서부터 시작된 건지 알 수 없었지만, S도 나도 서로에게 호감을 느끼고 있던 건 분명했다. S는 눈 밑에 점이 반짝반짝 빛나는 매력적인 사람이었다. 그 얄팍하고 얄미운 점. 나는 그걸 물끄러미 바라봤다. 나를 유혹하고 있네. 지금 나랑 하고 싶어 하는 거 다 알고 있거든. 나는 조금 취기가 오르는 거 같아 자리에서 일어섰다.

    어, 가세요 다은씨? 사람들이 부르는 소리가 들렸다. 나는 어쩐지 도망쳐야겠다 싶어 사람들에게 제대로 된 인사도 하지 못하고 가게를 나왔다. 드르륵. 가게 문이 닫히는 소리가 들렸다. 사람들이 다닥다닥 붙어있을 수 있는 조그만 이자카야였다. 그렇게, 가게에서 조금 떨어져서 걷고 있는데 뒤에서 누가 쫓아오는 소리가 들렸다. 어깨에 손을 올린 사람은 역시나 S였다. 어디 가요? 집에? 나는 대답하지 않고 그를 물끄러미 바라봤다. 네, 택시 타려고요. 내가 중얼거리자, S는 작게 웃더니 택시를 잡아주겠다며 나와 대로변에 섰다. 그럼 같이 타고 갈까요? 왕십리에. 나는 그가 설명하지 않아도 모텔이 많은 그 거리를 설명하는 거라는 걸 알게 됐다. 나보다 4살이나 어리면서, 능구렁이처럼 말하는 게 어쩐지 귀여웠다. 그렇게 자꾸 눈웃음 지으면 나도 흔들린단 말이야. S는 나를 택시에 태우고 자신도 뒤따라 탔다. 이러면 안 되는 거 아니에요? 나는 이미 택시에 탔음에도 불구하고 한 번 더 물어봤다. 그러는 다은씨는요? S가 반격의 질문을 해왔다. 나는 그 질문에 뭐라고 변명의 소리를 하며 얼버무렸다. 사실은 너랑 하고 싶었어. 앙칼진 눈빛, 너는 어떤 섹스를 할까. 그런 생각을 하면서 일부러 치마도 더 타이트하게 입고 너의 자리로 찾아갔었는데. 엉덩이 다 비치게.

*

S에겐 콘돔이 잘 들어가지 않았다. 이런 적은 처음이었다. 그는 매번 그래왔다는 듯 콘돔을 끼지 못해 골똘해하는 내 생각을 읽고 괜찮다며 손을 치웠다. 원래 잘 안 들어가. 언제부터 반말했었는지, S는 이제 다 벗고 있는 내가 조금 더 편해졌나 보다.

그는 다른 애무 따윈 하지 않았다. 조금 전에 그와 함께 한 샤워로 조금 젖어서 다행이었지, 안 그러면 큰일 날 뻔했다. 처음엔 그의 것이 아니라 다른 몽둥이가 들어온 줄 알았다. 나는 너무 놀라 헉, 소리를 내었다. 생전 처음 경험해 보는 묵직함이었다. 잠깐, 이제 시작이잖아. 시작부터 머릿속을 흔들어 대는 묵직함에 놀라 계속해서 소리가 나왔다. 평범한 정상위일 뿐인데 이 정도라니. 그런 생각을 하고 있는데 그가 내 엉덩이 밑으로 베개를 집

186

어넣었다. 그러고 베개를 집어넣자 아니나 다를까 그의 것은 더욱 깊숙이 들어올 수 있었다. 그도 자신의 것이 보통의 사람보다 큰 걸 알고 있는 눈치였다. S의 맑은 눈동자가 보였다. 크고 쌍꺼풀 없는 눈. 곧은 머리카락. 여자를 얼마나 많이 만났을까. 틀림없이 인기가 많았을 것이다. 그래서 그렇게 다짜고짜 모텔 가자고 한 거고. 내가 좋아할 거라 장담한 거고. 나는 억울했다. 사랑스럽다는 손길 하나도 없으면서 이렇게 젖어가는 것에. 하지만 S는 그런 내 생각은 신경 쓰지도 않는다는 듯 자기 일을 계속했다. 아랫도리가 들어왔다 나갔다, 쓸려가면서 그의 것을 물고 놓아주지 않았다. 나조차도 어쩔 수 없는 일이었다. 망치가 계속해서 박아대는 탓에 정신을 차리지 못했다.

S는 가쁜 숨을 내쉬더니 자기 위에 올라오라고 신호했다. 나는 또 말은 잘 듣는 타입이라, 누워있는 S의 몸 위로 올라갔다. 침대 위에 스포트라이트가 우리를 비춰주고 그의 머리맡에 있는 거울은 그런 나의 모습을 보여주고 있었다. 다시 한번 묵직한 그의 페니스가 내 안에 들어왔다. 다시 겪어도 낯선 느낌이었다, S의 것은. 엉덩이가 꽉 차는 느낌에 자연스럽게 신음이 나왔다. 침대 머리맡이 유난히 밝아서, 그 안에 비친 나의 모습은 무서우리만큼 선명하게 보였다.

S는 나의 양팔을 붙잡았다. 천천히 움직이는 나의 엉덩이가 조금 불만이었나 보다. S는 내 팔을 세게 붙잡더니 그 몽둥이를 마구 찔러넣었다. 아까 전보다 더한 진동이 내게 다가왔다. 그가 팔을 붙잡아주지 않았다면 나는 필히 그의 몸 위에 쓰러졌을 것이다. 간신히 몸을 지탱하고 있었다. 부들거리는 몸을 지탱하고, 그의 위에서 허리가 점점 휘어가는 것을 느꼈다. 그가 나의 허리를 잡더니 이내 가슴으로 손길을 옮겼다. 움켜쥐어진 가슴, 그로 인해 내 안에도 짜릿한 느낌이 전해졌다. 눈을 감고 그 사람을 느꼈다.

그와의 관계는 너무 빨라서 속도를 따라가기가 바빴다. 인정사정 봐주지 않았다. 나는 S와의 섹스가 나를 오래도록 바라왔다기보단 그저 S의 인생에 잠시 지나가는 관문 같아 보였다. 어제도 다른 여자랑 섹스하고 왔을지도 모르고, 이번 주말에도 섹스할지도 모르겠다고 생각했다. 그는 나의 무릎을 세운 후, 뒤에서 한 번 더 들어왔다. 흡, 하는 소리가 나왔다. 부드럽게 시작된 움직임은 언제 그랬냐는 듯 다시 한번 세차게 변해갔다. 엉덩이에서 찰진 소리가 들렸다. 어깨를 붙들려 옴짝달싹할 수가 없었다. 질끈, 눈을 감고 있다가 간신히 고개를 돌려 거울을 봤다. 침대 헤드에 위치한 그 거울은, 방안을 다 담을 만큼 거대했다. 그 거대한 거울에는 삼켜진 내가 있었다. S에게 붙들린 채 마구 박히고 있는 나 자신이.

그때 전화벨이 울렸다. 나의 핸드폰이었다. 나는 그것이 누구인지 짐작했지만 받지 못했다. S는 전화벨이 울리는 걸 아는지 모르는지, 나를 잡고 잠시도 놓아주지 않았다. 잔뜩 화가 난 페니스를 달래주는 게 우선 같아 보였다. 그리고 그것을 계속해서 나의 안에 집어넣고, 집어넣고, 또 집어넣었다. 나는 지쳐 쓰러졌다.

그때 다시 한번 전화벨이 울렸다. 이번엔 S의 핸드폰이었다. S는 전화를 받으려는 듯 잠시 하던 행동을 멈췄다. 응, 회식 끝나가. 금방 갈게. 그의 예비 신부 같아 보였다. 그는 황급히 전화를 끊더니 다시 한번 나에게 다가왔다. 가야 한다면서, 마무리는 하고 가고 싶었나 보다.

S는 나를 일으켜 탁자 앞에 세우고선, 그 몽둥이를 또 갖다 댔다. 나는 간신히 힘을 줘서 탁자를 잡았다. 너무 강하게 박아대는 탓에 점점 정신이 혼미해져 감을 느꼈다. 싫었냐고 묻는다면, 싫지는 않았다. 그건 또 그 사람 대로 매력이 있었다. 참 나쁜 사람이었다. 그러고 보니 섹스 도중에 조금의 키스도 하지 않았었다. 빨아주지도 않고, 그냥 박았었네. S가 입맛을 다시는 소리가 났다. 그러고선 그는 후, 하고 짧게 한숨을 내쉬었다. 허리가 꽉 붙잡혀서 겨우겨우 일어서 있을 수 있었다. 하나, 둘, 셋, 넷. 박자감이 점점 빨라

지더니 그가 마침내 나의 목덜미에 키스했다. 머리카락이 흔들리는 게 느껴졌다.

난 이제 W의 모든게 싫어졌다.

벽

그의 눈이 보였다.

검은자위 안에는 내가 꽉 들어차 있었다. 그것들이 무엇을 의미하는지, 다른 사람은 몰라도 나는 알 수 있었다. 흔히 볼 수 있는 뒷배경 따윈 제외한 채 그 안에, 나와 조명을 받은 자그만 빛이 머금어 있을 뿐이었다. 나는 그것이 상당히 예뻐 보였다. 아마도 나를 원하고 있는, 깊은 곳의 생각이 투영되어 있기 때문이겠지. 처음 봤을 때부터 아름답다고 생각하고 있었다. 처음 봤을 때부터 그 눈은 미세한 빛 하나 놓치지 않고, 순간순간의 내 모습을 놓치지 않고 담고 있었기에. 나는 그것이 사랑스러웠다. 그리고 그 눈은 W와 무척 잘 어울렸다. 섬세하면서도 강렬하게, 자신의 마음을 담은 검은색이었다. 나는 그 주위의 모든 것들이 사랑스러웠다. 사랑스럽다 그렇게 생각하며 바라보고 감상하고 있을 때. 하얀 부분에서 아까의 그것이 생각날 때쯤 새침한 키스를 받았다. 신경질적으로 보일 만큼 예민하고 섬세한 탄산과 여린 빛깔을 갖고 있는 그 술과 닮았다고 생각했다. 무엇이 담겨 있는지 모를 만큼 밀도 있고, 머리를 적실만큼 촉촉한 키스였다. 갖가지의 좋은 향들이 가득한 그 안에 달콤함이 느껴져 젤리를 씹듯 그 달콤함을 즐겼다. 무엇이 그를 이렇게 달콤하게 만든 건지 머리를 돌려보면서.

이전에 그가, 내 몸을 본 뒤 아름답다고 생각했단 것이 떠올랐다. 몸의 부분들이 제자리를 찾아 정해진 위치에서 제 역할을 해내고 그것들이 모두 조화로워 보인다고 표현했었다. 그것이 그에게 '아름'다워 보였다고 했다. 네 몸의 모든 것들이 너와 잘 어울린다고, 그래서 더더욱 예뻐 보인다고 얘기했었다. 그가 말한 일부분이, 그의 손에 덮여 따뜻하게 움켜쥐어져 그 생각이 거짓말이 아니라는 것을 알았다. 나는 따뜻한 그의 품에 안겨졌다. 따뜻했다. 그 따뜻한 온기가 좋아서 계속해서 품 안에 가둬지길 바라며 달콤하고 뜨거운 입술을 곱씹어봤다. 사탕의 겉면이 알코올에 코팅되어 팔린다면 이런 맛일 거라고 생각했다. 이미 그것만으로 아주 색달랐다. 호기심을 자극하는 새로운 물체에 다가가는 어린아이 같은 기분이 들었다. 이윽고 검은 홀 속에 빠져버렸다.

매일 무엇에 그리 단련된 건지, 그의 손은 갖은 생각들로 가득 차 있었다. 피가 지나가는 것도 모를 만큼 차갑고 하얀, 매끈한, 계집애 같은 내 손과는 확연히 달랐다. 그가 생각하는 양만큼 그 안에 많은 양의 피가 몰려 있었다. 피가, 서로가 앞다투어 갈 길을 찾고 있었다. 내 눈엔 그렇게 보였다. 그리고 그 피들이 활발하게 운동한 이유가 내 안의 피를 움직여 주기 위한 수단이었음을 알 수 있었다. 그 속에서 열심히 움직이는 모든 것들이 있었다. 강하게 단련된 그의 손을 통해 내 안에 들어왔고, 나는 움직일 수 있었다. 머리가 깨어 혈액이 돌아다니고 있는 것을 느낄 수 있었다. 그는 차근차근히 더 부풀어 오르기 위해, 움직이는 것들을 자극했다. 피가 돌아다니고 있는 것이 느껴지고 차가운 내 몸이 따뜻해지고 있었다. 그는 급해 보이지 않았다. 차가움에서 따뜻함으로 들어서는 것이 확연히 드러나고 있는 것이 재밌다고 생각했는지도 모른다. 그리고 그 과정들을 차분히 밟아가는 시간 속에, 돌아가는 중인 모든 요소를 하나하나 어루만지며, 탐스러운 내 엉덩이에 힘이 들어가고 있는 것을 알아챘다.

그 따뜻함이 좋아서 나는 계속해서 그와 붙어있고 싶었다.

너무 좋아. 벽이 긁혔다.

갓은 힘을 가득 담은 W의 눈동자가 나를 바라보고 무언가를 계속 찾고 있었다. 눈을 감고 있는 와중에도 나는 그것을 느낄 수 있었다. 어쩐지 관통하는 듯한 기분이 들었다. 눈을 뜰 수 없었다. 차라리 이렇게 취하는 것을 즐기는 편이 덜 하겠다고, 그렇게 생각했다. 흔들리는 공간 안에서 나는 더욱더 흔들렸다. 그가 움직이는 곳을 나도 따라갔다. 하지만 그가 이끄는 곳을 따라가기가 그리 어렵지만은 않았다. 오히려 길을 내 주어 내가 편안히 들어설 수 있다는 생각이 들었다. 그런 생각이 들 때쯤, 내 가슴이 따뜻한 품에 움켜쥐어지고. 자신의 공간 안에 나를 들여놓는 것을 확인한 그가 아까와는 좀 더 다른 생각을 하고 있었다. 무언가를 계속 찾고 있는 것 같았다. 강 속에 잠들어 있는 돌을 들춰내 그 안에 들어있는 걸 보고야 말겠다고 생각하는 것 같았다. 파고, 파이고. 강물을 풀어 아직 알지 못하는 돌을 찾고 있었다. 나는 그의 눈을 바라보고 무엇을 그리 찾고 있냐고 물어보고 싶었지만, 그러지 못했다. 눈을 떠 그를 바라보았을 때 이미 그가 내 벽을 갉아냈기 때문이다.

벽이 긁혔다. 어느 한 돌이 움직이고 들춰져, 벽이 보였다.

그도 보인 것을 눈치챘는지 강물에 좀 더 닦아보는 눈치였다. 어떠한 매끈함이 숨겨져 있는지 알고 싶어 안달이 난 듯 아까보다 좀 더 급해졌다. 강물로 그 공간을 계속해서 씻겨보며, 나는 그것을 거부할 수 없었다. 나조차 몰랐던 지점이 들춰내져 궁금해지고 무엇이 담겨 있는지 알고 싶었다. 거부

하지 않았고 도망치지도 않았다. 그가 알고 싶어 하는 것만큼 나도 알고 싶어 계속해서 강물에 씻겨나가고 매끈해지는 공간을 보았다. 아름다웠다. 무얼 닮아 그리 달콤하고 예쁜지, 비교 대상을 찾지 못했다. 나는 내 자신의 달콤함에 취해 들춰지는 족족 맛보고 탐하였다. 잠시 나갔다 들어오는 그가 내 안의 맛깔스러움을 알아챘는지 금방이라도 녹여버릴 만큼 뜨거워져 있었다.

　　너무 좋아.

고백

같은 시간, 새벽. 바깥을 돌아다니는 인파는 새벽 2시까지 계속되고 있었다. 각자 나름대로 연말연시를 즐기는구나, 라고 생각하며 거리를 누비는 사람들을 지나치고 우리는 바삐 걸었다. 예약해 둔 장소로 가는 길 내내 얼음이 서려 있었다. 발걸음은 오히려 가벼웠다. 사람들을 배려한 버스들이 그 시간까지 지치지도 않고 다니고 있었지만 어디가 그리 급했는지, 우리는 뛰는 듯 걷는 듯 숨을 쉬며 차에 올랐다. 조용히 맞잡은 손을 놓지 않고, 가볍게, 사뿐히. 버스 안에는 그때까지 사람들이 꽉 차 있었다. 나의 손은 그를 놓지 않은 채 온기를 머금다가 이내 주머니로 숨어버렸다. 무엇이 그리 수줍고 좋았는지. 흔들리는 버스 안에서 좌로 우로 비틀거릴 때면 주머니에 들어간 손이 지탱해 줬다. 나는 흔들리지 않을 수 있었다. 신나게 거리를 달리던 버스는 몇 정거장 뒤 우리를 정해진 장소로 내려놓았고, 바닥에 닿자마자 다시 한번 바쁜 걸음을 옮겼다.

꽤 맘에 드는 인테리어였다. 적당히 넓은 침대와 너무 밝지도, 약하지도 않은 조명. 텅스텐광과 푸른빛이 적절히 조화를 이뤘었다. 좋은 냄새가 그 공간에도, 그리고 그 사람에게도 나고 있었다. 나는 잠시 안긴 따사로운 그의 품에서 아이 같은 향을 맡았고, 그 향을 코끝으로 밀어 넣어 보았다. 좋았다. 가만히 안긴 품에서 두 팔이 나의 등을 쓰다듬고, 사랑한다고 말해줬다. 나는 그의 품이 좋았다. 마음이 놓이는 향과 넓은 가슴이 있었다. 무엇이라도 포용할 수 있는 넓은 가슴과 어깨가 나를 끌어안고 사랑한다고 말해줬다. 숨은 달콤했다. 그의 숨을 머금고 삼키기를 여러 번 시도하며 입술 머리를 핥고 다시 한번 가볍게 건드릴 때면 사탕을 먹는 것 같은 기분이 들었다. 톡, 하고. 동그란 면을 한꺼번에 삼키기도 했다가 가볍게 입술을 떼기도 했다.

나도 사랑해.

그의 눈이 내 눈에 마주치고, 곧게 다져진 손가락 마디마디가 팔과 흉부를 어루만지다 아래로 내려갔다. 계단을 밟듯 천천히, 그러고선 아코디언 같은 나의 벽을 긁었다.

W의 눈이 나를 바라보았다. 똑바로, 나를 바라보고 머리를 쓰다듬었다. 사랑스럽다고 생각하며. 손가락이 머리에서 목덜미로 흘러내려 어깨와 팔을 쓰다듬었다. 그러는 사이 그의 눈은 더욱더 곧게 나를 바라보고 있었고, 그의 근육과 닮아가고 있었다. 힘이 차오른 눈빛이었다. 내가 좋아하고 원했던 검은 동공이었다. 그 검은 동공은 나를 안심시켜 줬다. 그리고 어쩐지 그를 내 안에 가둬두고 싶었다. 어서 빨리라고 애태우며. 힘찬 그의 모습이 나를 채워주길 바랐다. 그의 볼을 한차례 쓰다듬고, 바랐다.

견고한 뿌리가 내게 들어왔다. 무엇에도 부딪히지 않고 견뎌온 단단한 뿌리였다. 흔들리고 정신 못 차리는 나를 바로 세워 줄 것만 같은 단단함이 내 안에 들어왔다. 깊숙이. 내가 굳이 말하지 않아도 그는 나의 마음을 알아주는 것 같았다. 내가 네 안에 들어차는 것을 너도 원하고 있다고. 이미 알고 있는 것 같았다. 어떠한 것에도 흔들리지 않는 무엇보다 단단한 너를 원하고 있다. 그걸 알기라도 하는 듯 그는 멀어질 만하면 다시 가까이 내 안에 들어왔다. 계속해서 공허해지는 어떠한 무서움도 이제는 없을 거라고.

그때, 두 손에 전기가 올랐다. 피가 하단부에 몰려 전신에 혈액이 고루 퍼지지 않는 느낌이 들었다. 그건 확실했다. 나의 피는 오로지 한 곳으로만 향하고 있었다. 강렬하게도 W를 원하고 있었다. 두 손에 전율이 흐르며 자신의 모든 신경이 한 곳에만 집중되는 걸 느꼈다. 하지만 그걸 막을 수 없다는 듯 피는 자꾸만 하단부로 향하고 있었다. 나의 중앙으로 모여 온 신경을 드러냈다. 뿌리는 그것을 알아차렸는지 점을 어루만졌다. 계속해서 하나의 점만을 어루만지며 나의 피가 그에게 몰리는 것을 바랐다. 혈액이 도는 것을 멈추고 중앙에만 머무는 것 같은 기분이 들었다. 나의 두 뺨에 터를 잡고 쉬다, 하단부로 내려가 그가 밀어내는 대로 다시 올라가고. 다시 한번 돌다 중앙에 머물러 나의 두 뺨을 물들였다.

얼굴에 차오르는 온기를 양손에 덜어내고 싶다고 생각했다. 부자연스러워 보일 만큼 나의 하반신은 뜨거워져 있었다. 어딘가에 두지 않으면 안 될 정도로, 머리와 가슴, 모든 것이 뜨거워져 있었지만. 피는 좀체 제자리로 돌아가지 않았다. 오히려 모처럼 만난 개울가를 헤집는 물고기처럼 끊임없이 춤추었다. 춤을 추며, 그가 점점 더 가까워짐을 느꼈다.

사랑해.

그의 기운을 담은 맑은 액체가 쏟아져 내려왔다. 나는 그에게 뒤덮였다. 그때가 돼서야 정신을 차린 건지, 나의 혈액들은 좀체 제자리를 찾지 못하더니 그렇게 몇 분이 지나서야 자기의 자리를 찾아 나서고 있었다. 죽어있던 세포들이 걸어 나가며 마디마디를 움직이고. 잠시나마 내 몸이라 생각지 않았던 두 다리와 팔이 다시 돌아오는 기분이 들었다. 그러자 어쩐지 조금 부끄러운 기분이 들어 고개를 획 돌렸다. 벌겋게 달아올랐던 얼굴이 느껴져 팔을 젖혀 눈을 가렸다. 부끄러움에서 벗어날 순 없지만 자기 모습에 어찌할 바를 몰랐기에 아무런 말도 못 했다. 하지만 가려진 눈이 다 무슨 소용이란 건지. 그는 아랑곳하지 않고 다정하게 말을 걸었다. 좋았어? 하고. 나는 고개를 끄덕이는 대신 얼굴이 뜨거워지는 게 느껴졌다고 얘기했다. 손발의 혈액들이 좀체말을 듣지 않아 고생했다고, 두 다리와 팔이 내 몸에서 잠시 떨어져 있는 것 같은 기분을 느꼈다고.

좋았어.

그 얘기를 하자마자 그는 작게 미소 지었다. 그러고선 다시 한번 내게 그렇게 좋았어? 라고 물어봤다. 단단한 손가락 마디를 하나하나 움직여 내 안을 휘저어 가고 벽을 쓸어내렸다. 몸뚱이가 조각조각 나뉘어 각각이 느낄 것을 느끼는가 보다 하고 생각날 만큼. 내 몸, 허리는 나의 의사와는 상관없이 요동을 치고 있었다. 몇 번이고 젖혀지며 그의 단단한 손가락이 쓸어내리는 것을 느꼈다. 그리고 아까와는 다른 저림이 손발을 스쳐 지나갔다. 양손이 정해진 리듬으로 아주 정직하게 꽤 빠른 템포로 떨려왔다. 검지와 중지, 약지가 때마침 그의 팔에 얹어져 있었다. 흔들리는 지지대를 견디지 못하는 듯 꽤 위태롭게. 그의 팔에 얹어진 나의 손가락은 각자의 힘으로 상황을 버티고 있었다.

귀여워.

그가 나의 머리를 한번 쓰다듬고. 온화한 미소를 지었다. 두 눈은 속쌍꺼풀이 검은자위 위에 살짝 얹어져 밝게 빛났다.

그의 얼굴에 행복이 어려 있었다.

나는 그에게 의지했다. 당신의 이런 따듯함이 언제까지나 계속됐으면 좋겠다고 읊었다. 계속해서. 너를 좋아한다고, 좋다고 얘기했다. 혈액들이 몇 번이나 제 자리를 찾지 못하고 헤매었다. 나는 몸뚱이가 제각각으로 노는 동안 몇 번이나 헤매었다. 그리고 그럴 때마다 정신을 잃은 나를 깨우고. 다시 한번 자신의 단단한 마디마디를 세워 벽을 긁어냈다. 지치지도 않는 밤이 흐르고. 나는 그의 가슴 어린 위로 속에 몇 번이나 안겼다.

　좋아.

　좋아?

　하룻밤이 부족할 만큼.

따스함

같이 있으니까 참 좋다, 오늘. 의미가 있어.

그렇지. 새해의 시작이니까.

그와 다시 한번 눈이 마주쳤다. 얕게 깔린 속눈썹 안에 그의 눈이 있었다. 칠흑같이 검지만 빛을 받아 빛나는 검은자위였다. 그리고 그것을 덮은 눈꺼풀엔 얇게 접힌, 위태로운 쌍꺼풀이 있었다. 매우 예쁜 속쌍꺼풀이었다. 나는 그것이 아름답다고 생각했다. 나를 조용히 바라보는 모습에서 사랑을 말하고 있었기에, 그 안에서 아름다움을 느꼈다. 그 눈이 나를 바라보고 있었다. 깊은 고요 속에 자리 잡은 힘이 내 눈 안에 들어왔다. 나는 그의 품에 안겼다. 조용하고 단단한 가슴 안에 여린 나의 어깨를 얹어보았다. 그런 다음 어깨를 타고 팔꿈치를, 팔목을, 손가락을 올려보았다. 오랜 시간 동안 굳게 다져진 힘이 느껴졌다. 내 가슴이 편히 쉴 수 있는 그런 '단단함'이었다. 그의 가슴은 의지가 되었고, 손가락 몇 개를 얹은 것만으로도 마음이 편해졌다. 머리를 숙여 그의 쇄골 언저리에 기댔다. 시간도 흐르지 않는 것 같았다. 나는, 그렇게 그의 가슴에 얹혀져 있을 때면 칠흑같은 고요함에 쌓여 무엇도 들리지 않았다. 아무것도 방해할 수 없었다. 그와 내가 기대어 있는 것을 알고 잠시 자리를 비켜준 것 같았다. 덕분에 아주 편안히, 나는 그의 품에서 미소를 지을 수 있었다.

불행 따윈 이제 없는 거야, 라고 그가 얘기했다.

그의 가슴속에서 나온 단단한 한마디였다. 순간 그 불행이란 단어가 어디에서 나온 건지, 뿌리가 무엇이었는지. 기억은 되짚어 무언가를 떠올리게 했다. 그 안엔 열쇠조차 꽂고 싶지 않은 깊은 절망이 담겨있었다. 바라고 바래 올수록, 점점 더 더럽혀진 내용물의 깊고 검은 웅덩이가 있었다. 어떻게 든 씻어보려 했던 작은 웅덩이가. 발버둥 칠수록 두려워져 꺼내놓을 수 없었던 검은 덩어리가. 하지만 그는 상자 속 모양새가 어떠하든 상관하지 않는 듯했다. 오히려, 기괴한 모양새를 드러내 보려 했다. 나의 등줄기는 깊이 쓸어내려지며 한번, 두 번... 그의 손길에 어루만져졌다. 탱탱하게 오른 살이 발그레 웃어 보이는 듯했다. 나는 그때 그의 손길에 등을 맡기고 가슴에 머리를 맡기며, 자신도 모르게 숨겨뒀던 불행을 이야기할 수 있었다. 비로소 맘에 드는 고요함을 만난 건지 그의 단단한 손가락 마디와 가슴 안에 갇혀 아이 같은 미소를 띠게 됐다. 머리를 쓰다듬는 손. 따뜻한 손이었다. 무엇이든 강하게 쥐어 잡을 수 있는 온기가 그 안에 있었다. 나는 그것을 느끼고 다시 한번 미소를 띨 수 있었다. 숨이 그의 살결과 맞대어 숨을 들이쉬고, 불행은 온데간데없었다. 왜.

그렇게 깊고 검었던 것이.

그의 고운 살결이 나의 살에 닿아, 나의 차가운 몸은 그의 체온과 만났다. 온기를 나눌 수 있었고 좀 더 따듯해질 수 있었다. 요 자리도 필요 없을 만큼, 추운 겨울이었는데도 나는 그것이 느껴지지 않았다. 밖은 몹시 추운 바람이 불고 있는데도 나의 공간은 봄과 같았다. 마음이 따뜻해지는 따뜻한 공간 안에 갇혀있었다. 봄.

　　좋은 향기가 느껴지는 그의 품에 다리를 얹고, 아이처럼 기대 보았다. 미동도 느껴지지 않는 자연스러운 얹음이었다. 마치 나의 몸뚱이가 쉬기 위해 만들어졌다는 생각이 들 만큼. 그의 품에 안긴 나는 함께 흐르는 시간보다 자연스러웠다. 그리고선 규칙적인 숨을 내쉬며, 그의 향을 들이마셨다. 계속해서 들이마시며. 어쩐지 그 향과 가까이하고 있을수록 나는 아이 같아졌다. 그리고 간절히 바라왔던 달콤함을 맛본 아이처럼, 그 향을 탐닉했다. 기대어서 가슴 언저리에 키스하게 됐다. 아주 짧게, 그리고서는 다시 한번 그의 향을 맡았다. 입술에 전율이 일었다. 밀어내어지고 들어오는 것들이 입 안에 머물다 폐 속에 자리 잡는 것이 느껴졌다. 한번, 두 번을 혈액 속에 돈다. 가슴 시린 차가운 기운이 곧 봄을 닮은 따뜻함으로 변하고.

　　나를 믿어.

　　고마워.

　　나의 몸은 따뜻해졌다.

목구멍

　　지하철을 타고 가는 내내 머릿속에 무언가가 빙빙 도는 느낌을 받았었다. 손가락조차 기운이 나질 않아 스마트폰도 만지지 않고 가방 안에서 꺼냈다가 도로 집어넣었다. 나는 그저 그 사람을 만나는 구간이 좁혀지는 것만을 기다렸다. 무언가를 생각하면 곧바로 가슴이 일렁이는 것 같아 생각하기를 했다가도 다시 그만두며, 자연스럽게 떠오르는 그 불쾌한 감정을 억눌렀다. W를 만나기 전까지는 들춰내선 안 된다고, 오장육부가 뒤틀리는 느낌을 그대로 지닌 채 번잡한 역사를 내려왔다. 내가 그를 발견하고 인사하자 그는 나를 조용히 안아주었다. 내 마음을 아는 얼굴이라서 그랬는지 표정은 그리 좋지 않았다. 나 역시도 애써 웃어 보이며 이동하자고 얘기했다. 그를 만나자, 다리에 조금은 힘이 들어갔는지 갈아타는 길은 어렵지 않았지만 그렇다고 곧바로 힘 차오르진 않았다. 왠지 아까와는 또 다르게 어깨와 팔목에 힘이 쭉 빠지면서 조금 나른해지고 내 기분은 가라앉았다. 지탱할 곳이 있어서 그랬는지.

아주 잠깐 눈물을 글썽였다.

요란스럽게 달리는 지하철에 사람이 적어서 다행이란 생각을 하고.

여기 괜찮은 어묵집이 있는데, 거기로 갈까? 오늘은 소주.

시원한 소맥이 생각났던 밤이기에 소주 하나에 맥주 하나를 주문했다. 콸콸하고 흐르는 소리가 그 사람의 손을 타서 그런지 유난히도 잘 섞이는 듯해 보였다. 탐스럽게 생긴 모양새가 아까와는 다르게 유독 매력적으로 변했다. 그것을 보고 있자니 어쩐지 늘 보던 것과는 또 다른 느낌이 들어 그 집의 대표메뉴인 어묵탕이 나오는 것을 기다리지도 않은 채 한입에 털어 넣고 갈증을 해소했다. 더운 날이 아님에도 불구하고 속은 바싹 긴장하고 메말라 있었기 때문에 나는 그것을 곧바로 마실 수밖에 없었다.

그것은 실로 입자 하나하나가 살아있는 맛깔난 술이었다. 어쩜 이럴 수가 있는지 배신감도 들면서 한편으론 다행이란 생각을 하고. W의 손을 꼭 붙잡곤 마음속 단어를 하나하나 옮겨보았다. 중간중간 실성 없는 이야기도 하며. 털어놓을 수 있는 것들을 모두 드러내기 시작한 나는 분노에 차오른 마음을 멈출 수 없었다. 불안정한 모습이었는데도 불구하고 그가 나의 눈을 똑바로 바라보고 있었기에. 그러는 사이 일렁였던 마음이 차분히 가라앉았다.

이제 그만 가자.

그것은 금방 내 숨통을 채웠다.

어디에도 나가지 못하도록 내 깊은숨을 밀어 넣고는 내쉬려 하면 다시 한번 그 숨을 틀어막았다. 몇 번이나 숨을 쉬지 못했다. 나는 기도가 컥컥 막히는 느낌이 들어 조금 눈물이 나왔지만 어쩐지 괴롭단 생각은 들지 않았고 오히려 그렇게 될수록 더욱더 그와 가까워지길 원했다. 상황은 어느 것 하나 편하지 않았지만, 두 손을 그의 허벅지에 지탱할 수 있었기에 힘들지 않왔다. 아니, 힘들었지만 그건 일반적인 '힘듦'의 느낌과는 달랐다. 그 때문에 나는 상황이 계속될수록 더욱 깊게 빠져들며 허벅지에 있던 손을, 엉덩이로 옮겼다. 목구멍이 차오를수록 숨도 나오고 들어가기를 버거워했지만, 그것은 별 상관이 없었다.

내가 그러하다는 것을 그도 느꼈는지 머리를 잡고, 밀어 넣었고 그와 내가 서로를 아주 강렬하게 원한다는 것을 느꼈다.

꽤 오랜 시간을 내 손과 그의 손이 각자 자리를 잡고 지탱했고 멀어지기 무섭게 가까워졌다. 아까 봤던 시간이 몇 시였는지 기억나지 않을 만큼 나는 그 순간에 갇혀버렸고, 그와 단둘이 있게 됐다. 서로를 원하는 만큼 있는 힘껏 바라고 또 어루만지며 뜨겁고 밀도 있는 그의 것이 숨을 타고 내려옴을 느꼈다.

그것은 가득 채워질 뿐, 조여오진 않았다.

Question

　원래부터 나의 손이 작은 것은 알고 있었지만, 유독 그의 것을 잡으면 더욱더 작아 보였다. 한 손에 두툼하게 잡히는 그것을 잡고, 한번 매만져 보았다. 뼈가 있는 것이 아닐까 생각될 정도로 틈새가 보이지 않았다. 그 사이엔 짧은 시간 내에 무엇이 그리 자리 잡은 건지 나로선 도통 알기 힘든 문제였다.

　넣어보라는, 올라와 보라는 말도 없었다. 나는 단지 그 안에 든 것이 무엇인지 궁금했을 뿐이다. 아니, 사실은 알고 있었다. 두툼한 그것이 들어왔을 때의 포만감이 어떤지. 하지만 내 기억력이 좋지 않아서 그런지 2주뿐이 안 된 그 느낌이 생각나지 않아 다시 한번 알아보려고 했다. 맛있는 음식을 앞에 두고 참기 힘든 욕구와 비슷할까, 이미 알아버린 탓에 자꾸만 그 맛을 원하게 되는 것이었을까. 나는 그것이 내 안에, 수직으로 들어왔을 때의 맛이 어떠한지 알고 있었기에 지체할 수 없었다. 바로 서면 꽉 차는 면적이 조금 전 손아귀에서 느꼈던 것을 연상시키며, 그 두께를 다시 한번 재 보았다.

그가 당황한 것이 보였다.

나는 그것을 꽉 쥐어도 보고, 풀었다 흔들었다 다시 움켜쥐어 보았다. 그러고는 그 두툼함을 어떻게 설명해야 할까, 애매했던 것들이 머릿속으로 차근차근 정리가 되기 시작했다. 내 작은 손으로는 도저히 가늠하기 힘든 일이었다. 어찌 된 일인지 몰라도 수치들은 조금 더 명확해졌다. 천천히 그것을 그려보며 되새김질하고는, 들어찬 그 느낌을 잊어버리지 않으려 노력했다.

그는 나의 이런 모습을 골똘히 관찰하며 내가 그것을 재보고 있다는 걸 알아차렸던 건지. 잘 가르쳐 주겠다고 말이라도 해줄 걸 굳이 알기 쉬워지라고 허리를 들어 올렸다.

아, 하고 탄성이 나왔다.

그것은 내 어딘가에 스쳐 지나갔다.

스쳐 지나간 그 지점이 무엇인지, 좁은 공간 안에 뭐가 그리 무궁무진한지 나로서는 처음으로 겪어본 지점이었기에 궁금하지 않을 수 없었다. 이제까지 알지 못한 것. 좁디좁은 공간 안에 무엇이 있는 건지. 한번 스쳐 지나간 것으로는 알 수 없기에 다시 한번 찾아보았다. 복잡했다. 뭐가 그리 복잡한지 웬만해서는 찾아지지 않았다. 아까의 그것은 어딘가로 도망간 것이 아닌가 싶을 정도로 찾기 힘들었다.

내가 아까의 모습과는 조금 더 달라졌단 걸 느꼈는지, 다른 걸 알고 싶어 한다는 걸 알았는지. 그때 그는 다시 한번 잘 가르쳐 주겠다고 했다.

아, 윽.

처음에 알고 싶었던 것은 명확해졌지만

어쩐지 알면 알수록 궁금증만 쌓여가는 일이었다.

마지노선

어쩐지 울음이 나왔다.

자세를 바꿀 시간 따윈 없었다. 그럴 필요도 없었거니와 오히려 그것은 독이 될 수 있겠다는 생각이 들었다. 바뀌는 그 찰나의 사이에 몸이 느끼는 반응도 미세하게 달라졌을 터. 여태까지 그랬고 그때의 상황도 다를 게 없었다. 팔을 조금 내리고, 다리를 조금 더 꼬는 미세한 움직임조차 허용되지 않는 것 같았다. 그 시간에는, 모험과 호기심으로 똘똘 뭉친 어린 20대 청년으로서는 감당하기 힘든 무게가 있었다. 견뎌내고 맛봐야 할 마지노선이었다. 상대방의 모든 걸 다 깨우치고 그 접점에 다다랐을 때 마주치는 한방의 칼 같았다. 그렇기에 그 시간 그대로를 받아들여, 어찌 보면 받아들일 수밖에 없는 막대한 무게감에 나는 숨을 쉴 수 없었고. 무언가 말해야 한다는 의무감조차 떠올릴 수 없었다. 의무감? 그 상황에서도 무언가를 떠올리고 상대방에게 생각한 그대로를 전달하려 했지만 그건 말처럼 쉬운 일이 아니었다. 상대에게 잘 되고 있다는 것을 전달하려는 마음. 나는 그것을 표현하려 했다. 어찌 되었든 받아치는 쪽은 내 쪽이었다.

무언가 그때와는 달랐다.

알 수 없는 감동과 몸속 깊이 느껴지는 희열을 전해주고 싶었지만, 머릿속 모든 것이 제대로 돌아가는 것 같지 않아 힘들었다. 확실히 제대로 되고 있지 않았다. 표현하고 싶은 언어와 행동이 정리되지 않았고 내가 정리할 수 있는 것들이 말이나 행동으로밖에 구현되지 않는다는 것이 안타까웠다. 내가 그렇게 생각하는 도중에도 계속해서 들어오는 느낌은 정리할 시간을 주지 않고, 애태워 하는 어린애처럼 보채기만 했다. 그는 그 상황을 좀 더 오래 지켜보고 싶다고 생각하는 것 같았다.

나는 재촉하는 것이 싫은 것은 아니었지만, 어쩐지 조바심이 들었다. 무언가를 말하고 싶었지만 달리 표현할 방도가 없었다. 그저 그가 재촉하는 대로 그것을 그대로 받아들이고, 방법은 찾지 못하고, 안절부절못하고, 표현할 것들을 모으다가 실패했다.

그것은 찾을 수 있는 것이 아니었다.

잘못한 어린아이처럼 어쩐지 울음이 나와 흐느꼈다. 그걸로 그 상황을 대신할 수밖에 없었다. 울음으로 다 해 표현할 수밖에 없었다. 그가 보채는 것보다 더, 내가 느끼는 모든 것을 표현하고 싶은 마음이 컸고 찾고 싶었지만, 조급했던 시간에서 나는 다른 방도를 찾지 못하고 애태워하기만 했다.

흑, 으흑. 하고 나는 결국 울음을 터트렸다.

눈가에 눈물이 흐르는 것을 느꼈다. 그것은 분명한 눈물이었다. 고통의 이유도, 환희의 이유도 아닌, 무엇으로도 표현될 수 없는 복합적인 이유로 나오는 눈물이었다. 왜? 나는 끝까지 그것을 표현할 수 있는 방법을 찾지 못했다. 온전히 자신을 내맡긴 것이 문제였을까, 찾아보려 해도, 정리해 보려 해도, 무엇이 어디부터 정의될 수 없었는지 알기 힘들었다. 두 다리를 감싸고 허리가 뻐근해지는 것을 느끼며 길고 긴 시간을 내 몸에 맡기며 오로지 믿을 수밖에 없었다. 그래도 그게 틀리지는 않은 것이라고. 왜냐면 느낀 것은 나니까, 온전한 무게감을 받아들인 것은 나와 이제까지의 시간이니까. 짊어지어야 할 의무가 있는 거라고 생각했다. 알 수 없는 그 무게감에도 이유가 있는 것이라고.

그 무게감을 느끼는 순간 울음이 나온 것이지. 달리 표현할 방도가 없는 부방비한 무게감.

음? 두 다리 사이로 느껴지는 것들의 끝은 대체 어디길래?

왜 나는 그것을 표현하지 못하고 눈물을 흘렸던 것일까?

욕쟁이

그래도 욕은 안 했으면 좋겠는데.

왜? 욕을 먹을만한 사람이잖아. 이런 것도 하지 말아야 해?

W에게 울화통이 쌓여있는데도 불구하고 넘어갔던 몇 가지가 문제였다. 나는 친구를 만나 근 몇 시간을 연락도 안 하고, 줄곧 고기와 함께 그를 씹는 데 열중했다. 가을 밤바람이 마음을 흔들어 놓는 시간이었다. 친구에게 털어놓으면 털어놓을수록 어쩐지, 내가 모르고 있던 지난 속마음까지 다 드러나는 것 같은 밤이었다. 나는 그녀가 남자친구에게 쌓여있는 분을 털어놓는 걸 들으며 함께 덜어놓는 척 나의 분도 덜어놓았다. 그런 시간은 길면 길어질수록 안 좋을 게 뻔했지만, 이상하게도 나는 그 순간 시간이 길어지고 있다는 것에 위화감을 느끼지 못했다. 마음을 놓아서였을까, 아니면 다잡고 있어서였을까. 아무튼 나는 W가 없는 자리에서 그녀와 그의 얘기를 했고, 그녀는 적당한 대답을 하며 나의 울분 그대로의 불합리한 상황으

로 이끌어갔다. 나는 그것이 맞는 것인지 아닌지도 모른 채 맞장구쳐 주는 그대로 또다시 W의 단점을 드러냈고, 단점은 단점 그대로 휑하니 벗겨지게 됐다.

나는 그가 욕을 하는 것이 싫었다. 장난스럽게 하는 것도, 지나가다 부딪힌 사람에게 내뱉게 되는 무심한 한마디도 싫었지만, 욕을 먹어도 마땅한 상황에서 들리는 욕도 듣기가 싫었다. 더 뭐라고 말해야 할까 고민하며. 함께 있던 시간 동안 몇 번 말했던 일인데도 그리 고쳐지지 않아 어떻게 하면 좋을지 몰랐었고, 결국엔 오랜만에 만난 친구에게 울분 아닌 하소연으로 내뱉게 되고 말았다. 그리고 친구는 그런 나의 하소연을 잘 받아주었지만 그대로 받아치는 통에 상황을 극단적으로 내몰아 갔고, 나도 거기서 더 이상 어찌할 바를 몰라 결론 아닌 결론도 짓게 됐다. 어디서부터 잘못됐는지도 잘 모르면서.

지난날엔 차근차근 정리한 하소연을 하나하나 털어놓고 내 나름의 결론을 말해보기도 했다. 그의 대답이 어떤 것일까 긴장하고 조금 궁금해하면서, 말로 내뱉어 보니 그렇게 숨 막히고 울분이 터져 나올 수가 없었다. 당신이 욕을 하는 것이 너무너무 싫은 몇 가지 이유가 있다고 했다. 그런 것들을 얘기하는 긴 시간 동안 그는 나의 고민을 잘 들어주고 다독여 주면서도, 내가 자신과 떨어져 있던 지난날 밤 그런 이야기들이 이루어졌다고 생각하니 이번엔 자신이 울화가 쌓이는 것 같았나 보다. 아무렴, 그렇지 않으면 더 이상하겠지만. 나는 어쩐지 나의 죄가 그녀에게까지 미치는 것 같아 그녀가 욕 듣는 것을 막고 싶었다. 울분과 화를 정리하지 않은 나의 잘못이 제일 큰 것만 같고, 또 그로 인해 그녀까지 욕 듣게 되는 것 같았기 때문이다.

누군가에게 이래라저래라하면 안 돼, 그 사람의 인생을 자신이 책임질 건 아니잖아?

W가 그렇게 말을 했다. 행여나 네가 누군가에게 다른 누군가의 욕지

거리를 하는 한이 있어도 동조하는 데는 선이 있고 그 선을 조심해야 한다고. 나는 그 얘길 들으면서도 온전히 잘못은 나에게 있다고 생각했지만, 먼저 당신에게 토로하지 못한 내 잘못이라고 생각했지만. 그러한 잘못들을 뉘우치고 다시 그런 상황이 오더라도 그러지 말자고 다짐했다. 어쨌든 우리가 그 '선'을 넘어버린 것은 확실하니.

술 한잔에 눈물 몇 점에, 그 사람의 꽉 잡은 손안에 울분은 털어지게 됐다.

나는 이미 갈 데까지 가 버리고 난 상황이었다.

*

어쩐지 저번이랑은 다르게, 그의 것이 좀 더 꼿꼿하고 바르게 세워져 있는 것 같았다. 함께 샤워하며 쓰다듬어 보기도 하고 구석구석 비누칠을 해 줘 보기도 하며 그날따라 남달라 보이는 그의 것을 잘 쓰다듬어 봤다. 과도기를 한번 겪은 뒤라 그런지, 더욱더 애타게 무언가를 갈망하는 것 같았다. 그럴수록 더더욱 올곧게 우뚝 서 있을 수 있는 건지, 간절하게 나를 바랄 수 있는 건지. 부드러운 비눗물과 물기를 닦자 단단하게 서 있는 모양이 좀 더 도드라졌다.

그의 것이 유난히 도드라져 보일 때면, 나는 그것을 어서 내 안에 넣어 두고 싶어 했다. 조바심과 애태움이 함께 하반신을 죄어오는 듯한 기분을 느끼며, 어서 빨리 그가 들어왔으면 좋겠다고 죄악을 따뜻함으로 감싸 안아주었으면 좋겠다고 생각했지만. 그는 심술보가 났는지 천천히 가슴을 쓰다듬으며 쉽사리 내 마음을 들어주지 않았다. 그를 원하는 음부는, 장난치듯 가까워졌다 멀어지며 또 가까워졌다 멀어지며 더욱 꼿꼿해지고, 나는 시간이 지날수록 애가 탔다. 어서 빨리 가까워졌으면 좋겠다고 생각할 때마다 발끝에 힘이 들어가 그의 엉덩이를 내 쪽으로 조여 보기도 하고 닿지 않는 입술에 키스하기도 했다. 숨이 턱턱 막히는 탓에 팔뚝에 소름이 돋으며 그의 허리를 붙잡고는 넋을 놓게 되는 순간. 그것이 끝이 아니라는 듯 더욱 깊게, 강하게 들어가며 이게 끝이 아니라며 계속해서 반복하고. 나는 깊게 들어오는 그가 좋아서 몇 번이나 탄식의 숨을 뱉어냈다. 꽉 들어차는 뜨거운 온기와 따듯한 팔뚝에 내가 오해했던 저번의 그의 모습과 잘못을 되풀이하는 그가 없어지고 온전한 사실 그대로의 모습만이 남아 다행이란 생각을 했다.

내가 그렇게 안심하고 젖어 들어가는 모습이 조금 괘씸했던 건지, 내가 그런 생각을 할 때마다 그는 더욱 강하고 깊숙하게 들어왔다. 오랜 시간 동안 정성 들여 파내고 다시 덧바르고 건드려 보는 동안 지점이 어딘지도 몰랐던 나는 그가 가르쳐주는 데로 찾아가다가 발견하고, 또 그것을 숨기지 못하고 바로 내뱉어버렸다. 하얀 게 계속해서 묻어 나왔다. 그런 게 자꾸 묻어 나올수록 더욱 어찌할 바를 모르고, 두 손발을 우왕좌왕하다가 마침내 그의 두 어깨를 잡게 됐다.

그는 나를 혼내고 싶었던 걸까. 아니면 따듯하게 채워주고 싶었던 걸까?

매를 맞는 듯한 기분이 드는 강한 압력이 가해져 오는 동안, 나는 솜털 사이를 움켜잡았고 꽉 쥐어 보려 노력했다. 하지만 격렬하게 요동치는 템포 때문에 그리 쉽진 않았다. 계속해서 매를 맞았다. 멈출 수 없었다. 솜털을 꽉 쥐는 것 자체가 무리였는지 두 팔로 지탱하는 내내 금방이라도 쓰러질 듯 비틀거렸고, 머리가 파묻어질 때면 다시 일어나고 무너지고 새워지길 몇 번이나 반복했다. 왜 이러나 싶을 정도로. 어느 순간 나는 그가 강하게 들어오면 올수록 피하지 않고 더욱더 많이 원하게 되고, 도망치고 싶은 생각이 들며 찢어발겨지는 기분이 들었다. 좋아졌다. 조금 전의 시간을 되돌아보며, 서로의 어깨를 부둥켜안고 키스했던 시간을 되돌아보며.

헉 아.. 아, 씨발. 진짜!

나의 진심 어린 탄성으로 사건은 일단락되었다.

리듬

잠깐만.

막 씻으려고 머리를 묶으려고 하던 찰나에 W가 나를 불렀다. 잠깐만.
하고 말하는 목소리에 약간의 긴장감이 더해졌다는 걸 느끼고, 그것이 내
게 다가오는 동안 더욱더 강해져 가고 있다는 걸 느꼈다. 어쩐지 들어오자
마자 씻지도 않고 월요일부터 내내 그 얘기만 하더만. 허리를 두른 손바닥
이 자신에게 가까워지길 바라면서 서서히 등을 주무르는 손길이 더 따뜻하
게 느껴졌었다. 나는 온기에 자연스레 풀리는 아지랑이가 된 것처럼, 아까
부터 단단하고 올곧게 서 있는 그것을 떠올리며 눈을 감았다. 따뜻하고 두
툼한 두 가락지가 맞춘 듯 딱 들어맞게 들어가 좌우를 비스듬히 쓰다듬는
것이 느껴졌다. 부드럽지만 정확한 말랑한 살갗을 쓰다듬는 손길이 오랜만
이었는지 손목 털끝들이 차례차례, 한 올 한 올이 일어서고 있었다. 소름이
돋았다. 아래에 앉아 가만히 표정을 관찰하던 그는 미세하게 떨리는 다리를

주체하지 못한 채 비틀거리는 나의 하반신을 팔에 두르고 다른 팔에 붙어있는 두 가락지에 다시 한번 부드럽게 힘을 가했다. 한번 쓸릴 때마다 이상하게 힘을 쓰지 못하겠다던 나는 그의 어깨를 잡는 걸 대신하여 간신히 서 있는 걸 유지했다. 그리고 어떻게든 서 있다는 걸 보여주려 애를 쓰면서도 지탱하기 힘든 그 상황에서 벗어나려 하지 않았다. 아니 오히려 더욱더 깊이 다가왔으면 좋겠다고 생각했다.

쓸리는 벽이 흠뻑 젖어 이제 웬만한 마찰에도 아파하지 않는다는 걸 알았는지 점점 속도를 붙이며 좌우로 힘껏 쓸어갔다. 소름이 하나하나 더 늘어갈수록, 말하지 않는 우리였지만 어느 때보다 더욱 깊이 대화하고 있는 것 같은 느낌과 함께 서로를 사랑하고 있다고 느끼게 해 줬다. 그럴 때면 발끝부터 피가 올라오는 기분이 들었다. 발끝부터 허리와 목을 따라 피가 흐르며 온몸을 곤두세우게 했다. 나는 여전히 두 팔을 그의 어깨에 기댄 채 더욱 가까이 기대게 되고, 고래 같은 숨을 내뱉으며 바닥을 적셨다.

바닥이 적셔져 갔다, 내가 뱉어내는 숨의 리듬에 따라.

그런 나를 알고 그러는지 자꾸만 젖어가는 바닥을 보며 어쩔 줄 몰라 하는 나와 다르게, 그는 가만히 자신이 만들어 낸 리듬을 더욱더 정성 들여 흐르는 물줄기가 언제쯤 끝이 나는지도 모르게 그렇게 계속, 계속해서 쓰다듬었다. 나는 그만, 그만이라고 얘기했던 것 같다. 어쩐지 이제까지 보다 훨씬 더 많은 것 같다는 느낌에 이제 그만하면 되지 않겠냐는 설득을 했다. 하지만 내가 그럴수록 그는 더욱더 깊고 강하게 좌우를 흔들어 댔다. 그리고 그런 행위가 계속될수록, 멈추기 전까진 이 상황도 끝이 나지 않을 것만 같단 생각이 들었고, 그는 기어코 나로부터 많은 양의 물을 뽑아냈다.

정신이 아득해지는 기분에 마침내 두 다리의 힘이 완전히 풀려버릴 때쯤, 그가 내 허리를 일으켜 세우더니 뭐라 할 새도 없이 곧바로 들어왔다. 내가 으윽. 하는 고통 아닌 소릴 내지르게 되면 준비가 다 됐다는 것을 일찌감

치 알았던 그는, 어렵지 않게 천천히 흔들며 곧바로 자리를 잡았고. 나는 W
의 움직임에 따라 엉덩이를 추켜세우며 비정기적인 리듬을 받아 들었다. 그
런데 어쩐지 저번보다는 조금 다른 리듬이었다. 미디엄 템포로만 달리던 그
가 이렇게 강하게 처음부터 곧장 올라가는 것은 또 처음이었다. 흔들리는
동시에 정신을 잃은 나는 바로 앞에 있는 거울을 인지하지 못하고 머리를
찧게 되고, 정신이 번쩍 들 만큼 강한 흔들림을 곧이곧대로 받아들이게 됐
다. 정신을 잃었다 다시 차리고, 또 잃었다 다시 차리고 그러면서 어떻게든
지탱해 보려 거울에 손을 댔다.

주인님 해봐. W가 말했다.

손가락에 힘이 들어가면 갈수록, 두 다리는 비틀거리며 더욱더 그에게
매달리도록 만들었다.

거울

이리 와.

추운 바람을 뚫고 들어와 막 반신욕을 즐기다 와서 그런지, 몸도 기분도
꽤 많이 노곤해졌었다. 편안한 분위기의 인테리어와 따뜻한 이불이 놓여 있
는 침대는, 낯선 느낌보단 기분 좋은 긴장감을 주었다. 밖은 꽤 추웠다. 날이
얼마나 서늘한지 두터운 커튼에 가려져 있는 창문엔 김이 서려 있었고 그와
대조되는 듯 방안엔 따뜻하고 조용한 긴장감이 감돌았다. 나는 얼른 이불속
으로 폭 들어갔다. 이불 안에서 만난 그의 숨과 온기가 있어서 그랬을까. 금
방이라도 잠들 것 같은 아늑함과 빨가벗은 몸뚱이가 데워져 가는 것을 느꼈
다. 그리곤 기분이 좋아져서 보송보송한 살결과 살짝 젖은 머리카락을 만지
작댔다.

그의 것은 늘 이렇게 보드랍다. 보드랍고 연약해 보이는 끝 살. 그 맨살
은 가는 끝자락처럼 보이지만 계속해서 쥐었다 놓았다 하다 보면 가장 우

직한 부분이란 것을 알게 된다. 부드러운 살을 계속 만져볼수록 유연해지는 것이 아니라 점점 단단해지는 것이 재밌다. 만지면 만질수록 뜨겁고 단단해 진다. 한 움큼 넣어보면 어떨까. 부들부들해 보이는 표면이 애석할 정도로 입술로 가져가 대는 기울임조차 버겁다. 그래도 한번 알아보고 싶다. 한 움 큼 물고 부드럽고 뜨거운 온기와 단단함을 맛보고 싶다. 버겁다! 연약해 보 이는 살갗이라 어루만져지만 시간이 지날수록 어쩐지 점점 더 뜨거워진다.

입술을 옮겨가 탱탱한 알알을 훑아본다. 비범하게 솟아있는 부분과 다 르게 조심스럽게 어루만져 줘야 할 것 같은 느낌이 든다. 나는 늘 이것과 마 주할 때면 긴장하게 된다. 조심해야 할 것 같은 기분이 엄습하기 때문에, 소 중히 다뤄야 한다는 생각이 들어서. 아까보다 좀 더 조심스럽게 혀끝으로 건드려 보았다. 그리곤 입술로 감싸 안았다 놓았다. 알알이 놓여있는 살결 을 훑어 키스하고 키스하고, 다시 한번 뜨겁고 단단한 그의 것을 한 번에 안 아보았다.

*

나는 화장대 앞에 손을 턱 짚었다.

나풀거리는 머리카락과 긴장감 어린 손끝이 탁상 위에 닿고, 나는 두 다 리를 지탱하며 금방이라도 쓰러질 듯 위태롭게 서 있었다. 손끝부터 손목, 어깨가 올라가는 선 그대로 거울에 그려지며 그 안에 내가 들어갔다. 실루 엣이 잠시 스쳐 지나갔다. 평소의 내게 찾을 수 없는 모습. 잠깐 스쳐 지나 간 거울 안의 내 모습을 보았고, 나는 그게 차가운 바깥보다 더 낯설다고 느 꼈다. 마주하고 싶지 않은, 마주하면 안 될 것 같은 위태로운 모습일 것 같아 발끝만 쳐다보고 있었다. 그런 발끝마저 땅을 움켜쥐고 어쩔 줄 몰라 하고 있었지마는.

머리카락이 끊임없이 탁상 위를 지나치고 있었다. 얼굴을 들어야 하나 말아야 하나 계속 고민하면서도, 일정한 속도로 재촉해 오는 그를 온전히 느끼면서도 쉽게 현실과 마주하지 못했다. 마주하면 안 될 것 같은 빨간 나의 모습이 부끄러울 것 같아서. 그래서 그렇게 자꾸 마주하고 싶지 않아 했지만, 그는 내가 그렇게 하려 할수록 어쩐지 더 힘을 줬다. 결국은 내 머리카락을 잡아 뒤로 훅 당겨버리고 말았다. 너의 이 모습을 똑똑히 보라고. 몸뚱이가 불거진 모습을 똑똑히 보라고. 고개를 숙이려 할수록 그는, 더욱더 강하게 머리카락을 당겨 버리고 말았다. 강한 템포가 끊임없이 들어오는 동안 정신 못 차리고 비틀대던 내내 그의 것이 유독 뜨거웠단 것을 느끼고 그와 동시에 나도 뜨거워지는 것을 느꼈다. 봐봐, 네가 지금 어떤 모습인가를.

　　나는 내 모습을 똑똑히 보았다. 그와 내가 겹쳐 있는 모습을, 흔들리는 내 가슴을.

틈 사이

혀끝으로 장난치는 내내 나는 이러지도 저러지도 못했다. 꽉 붙잡혀 있는 것이 아닌데도 불구하고, 잠깐잠깐 오는 전율이 달콤해서 그냥 그대로 탄성을 내지르기만 했다. 오른쪽 젖꼭지는 어쩌지도 못한 채 그래도 W의 혀끝에 파묻혔다. 그는 혓바닥을 돌렸다가 핥았다가, 열심히 움직였다. 건드리는 대로 전율을 일으키는 모습이 재밌었는지 멈추지 않았다. 시간이 흐를수록 혀끝은 점점 부드러워졌고, 부드러워질수록 나와 닿아있는 면은 더 끈적해지고, 나는 그 끈적함을 그대로 받아 털끝이 하나하나 서게 됐다. 녹아내렸다. 따뜻한 온기를 가진 손가락이었다. 왼편의 젖꼭지엔 두껍고 따뜻한 손가락이 그 위에서 노 다니고 있었다. 작게 포개었다가 다시 한번 세심하게 만졌다가, 짧고 단단한 손톱을 지닌 손가락은 그 위에서 자유롭게 움직였다. 내 두 가슴 위에 따뜻하고 부드럽게 움직이는 것 때문에 나는 어쩔 줄을 몰라 했다. 이걸 어쩌지, 이걸 어쩌지 하면서. 꽉 붙잡혀 있는 것이 아니었는데도 불구하고 발끝에 들어가는 힘을 어쩔 줄 몰라 했다. 두 다리가 오므려졌다. 가슴의 전율이 허리와 엉덩이, 발끝으로 향하는 것이 보여서 두 다리가 어쩔 줄 몰라 했다.

베베거리는 다리를 느꼈는지 W는 갑자기, 누워있는 내 몸을 돌리고 통통한 엉덩이 사이로 그대로 들어왔다. 무겁지만 유연하게. 제 자리를 찾은 듯 자연스럽게 들어온 무게에 다리는 어쩔 줄 몰라 하고 쭉 뻗어 발끝까지 힘이 들어가고 허리가 휘어 올라갔다. 순식간에 엉덩이 사이로 그의 무게가 온전히 전해졌다. 이제까진 느껴보지 못한 무게감이었다. 그리고 엉덩이를 누르고 들어오는 리듬감이 계속되면 계속될수록 점점 더, 빠르게, 커지는 것이 느껴졌다. 그것은 이전과는 다른 압력이었다. 그는 어딘가를 자꾸만 건드리고 있었다. 건드리고, 또 건드리고. 피하지도 않고 어느 한 지점만을 그렇게 계속 같은 압력으로 짓누르고 있었다. 내 엉덩이 살이 그를 움켜쥐고 있어서 그랬던 건가. 엉덩이 사이를 파고드는 무게감이 그대로 전해져 얕은 숨이 점점 변해가는 것이 느껴졌다.

어깨가 움츠러들고 바르르 떨려가는 와중에도 그는 멈추지 않았다. 아니 오히려 자유자재로 그 리듬을 즐기고 있었다. 그러고는 내 귀에, 볼에 입을 맞추며 더 가까이 몸을 밀착하고. 얼굴을 들어 올렸다. 땀에 젖어있는 턱. 나의 숨만 거칠게 변하는 줄 알았더니 그도 똑같이 변하고 있었다. 따뜻함. 나는 그 숨이 나와 맞닿는 순간 따뜻한 온기를 느낄 수 있었다. 그 따뜻함이 너무나 좋았다. 입술이 서로를 찾고 원하며, 따뜻함을 느끼고 더욱더 많이, 넘쳐흐를 만큼 원한다는 것을 알 수 있었다.

황홀함. 황홀경.

W의 손아귀에 잡히니 더욱 얇고 가냘픈 것 같았다. 어떻게 힘이 들어가는 줄도 모르고, 가만히 잡혀있던 나는 손목에 아픔이 전해지는 줄도 모른 채 누워있었다. 리듬과 무게감이 더욱 강하게 전해지는 것 같았다. 내 안을

짓누르며 들어오는 무게감. 황홀경에 빠져 손목이 아픈줄도 모르고 품 안에 갇혀, 들어오는 순간순간에 빠져들어 갔다. 그가 내 손목을 강하게 쥐어 갈수록 더욱더 빠르게. 그의 온기가 더욱더 농밀하게 전해져 오는 것만 같았다. 그 순간, 땀방울이 내 귓가에 떨어지는 것을 느끼고 고개를 들어 힐끗, 쳐다보았다. 어깨를 들춰 조심히. 그의 눈동자는 흔들리는 내 뒤통수와 점점 변해가는 목소리를 놓치지 않고 있었다. 잠깐 눈이 마주쳤고, 부끄러움과 함께 기분 좋은 소름이 돋아났다. 그가 내 안에 들어오고 있구나. 나의 목덜미를 쳐다보고 있구나. 그런 생각이 드는 내내 두 손목은 더 강하게 움켜쥐고 통통한 엉덩이를 더 강하게 짓눌렀다. 끈적함이 허벅지를 타고 흐르는 동안 나는 알 수 없는 목소리를 내지르고 있었다.

나는 그렇게 부드럽고 여유 넘치는 모습의, 다르게 말하면 조금 먼 느낌의 Y를 좋아했었다, Y와의 섹스도. 어리기만 했던 나는 그런 Y에게 계속 같이 있으면 좋겠다, 오빠를 갖고 싶어.라고 했다. Y는 어쩜 그런 이기적인 생각을 할 수 있냐며 나를 다그쳤었다. 이기적인 내가 Y를 몰아세우고, 지금 그날의 내가 Y를 이기적인 사람으로 만들고 있다. Y는 무엇을 기억하고 있을까.

어제 갑자기 Y에게 연락이 왔다. 본 것은 4월의 메시지고, 6월에 한 번, 9월에 한 번, 그렇게 있었는데. 그에게 말하니 그것보다 더 전에도 했었다고 했다. 꽤 오래전부터 날 찾았다고 했다. 핸드폰이 바뀌어 찾는 데 애를 먹었다고. 대체 왜 찾았는지 나로선 이해할 수 없지만. 새벽 1시의 메신저에서 Y가 대뜸 결혼은? 하고 물어봤다. 내가 안 했다고 하자 왜 안 데려간대? 한다. 내가 그러게 말이야, 하며 실실대니 너랑 같이 본 재즈 콘서트 CD를 자주 듣고 있어, 얼마 전에 라디오에서 나왔는데 바로 알아봤었지.라고 했다. 그래서 아, 래리 칼튼? 좋지. 무지 좋았지. 했다. Y가 좋다는 걸 너무 늦게 알았다고 한마디 더 붙이고는 또다시 한참 말이 없더니 솔직히 그립고 보고 싶어서 찾았어.라고 했다. 너는 여전히 착하구나.라고 한마디 더 붙였다.

덩쿨

괜찮니?

응 좀. 속이 안 좋네.

와인 두 병을 이번엔 기필코 다 비워보겠다고 마음먹은 게 문제였을까. 마지막 200㎖ 정도를 남기고 갑자기 정신이 획 돌았다. 알코올을 이제는 어느 정도 제어할 수 있다고 생각했는데 그게 아니었다. 나는 완전히 취기에 뒤덮여 있었다. 눈앞의 근사한 등심 스테이크고 마리아주고 이제는 더 이상 몸 안에 들어갈 공간이 남아있지 않아 앉아있는 것이 꽤 버거웠다. 눈꺼풀이 자꾸만 아래로 흘러 곡예사가 있다면 당장에 들어 올려 주었으면 좋겠다고 생각했다.

아직 한 병을 비우지 못한다는 얘기에 Y는 한 병을 비우는 건 그리 어렵지 않아. 라고 대답했다. 마시고 얘기하다 보면 알코올은 저절로 사라지는 거라고, 더욱이 와인은 포도로 만든 주류라 해독이 빠르다고. 항상 삼분의

이 정도를 마시다 그만두었기 때문에 남은 와인을 어떻게 처리하지 못했던 나는 오늘은 맛있는 와인도 두병이나 있겠다, 시도해 보기로 한 것이다. 향긋한 꽃밭에 누워 있는 듯한 그 몽롱한 기분이 잔 속에 코를 박고 있노라면 어김없이 찾아왔다. 몇 번이고, 잔을 비울 때마다 꽃 향이 났다. 진하디진한 초콜릿 맛이 느껴지며 한 잔 두 잔을 그렇게, 입에 머금고 있으면 금방이라도 무언가에 빠져드는 기분이 들었다. 생각해 보면 와인은 오히려 소주보다 더 취하기 쉬운 그런 술인데, 왜 몰랐을까. 취하고 있는 것을 그대로 받아들이지 못하고 착각하다 뒤통수를 맞게 되었다. 꽃 속에서 그대로 잠들어 버려도 위화감이 없었다. 말 그대로 나는 서서히 빠져들고 있었다.

다은아.

어디로 가는지 정하지도 않고 조수석에 앉아 5분 정도 지났을 때, 부드럽고 달콤한 rosa-canina가 지나갔다. 꽤 오랫동안, 그리고 천천히 휘감겼다. 화사한 꽃을 안은 여인인 줄 알았던 형체는 알고 보니 야생 덩굴장미였고, 여러 가지 줄기가 끝도 없이 이어져 몇 번이고 꿈틀거리며 입속을 지나가고 있었다. 이렇게 유혹적인 레드 빛이었다니, 나는 생각지도 못했던 본모습에 당황하여 잠시 정신이 깨었다. 내가 그 본모습을 보았다는 걸 눈치 챘는지 그가 몸을 옮겨 천천히 운전대를 돌렸다.

운전을 하는 그 손놀림이 매우 유연하다고 생각했다. 매일 스트레칭을 하며 근육을 단련하는 내 몸체와는 다른 유연함이었다. 그도 야생 덩굴장미를 마셔서 인지 머리부터 손끝까지 물들어 있었을까. 자연스럽게 천천히 움직이는 동작 하나하나가 절대 성급하지 않았다. 오히려 늦장을 부리는 듯한 기분이었다. 어떤 장소에서 그 밑바닥을 관찰할지 고심하는 듯한 눈치였다. 이윽고 몇 번의 불빛이 눈앞에 스쳐 지나갔을 때, 나는 어딘가에 멈추어 서 있었다. 공간은 그대로 꽃밭이었다, 아까와는 조금 다른 야생 장미가 뿜어내는 향내에 정신도 어느 정도만 깨어있을 뿐이었다.

마실래?

아니 난 괜찮아.

맥주는 언제 또 산 건지 탁자에 툭 하니 두고는 캔 꼭지를 틀어, 벌컥벌컥 들이마셨다. 자기는 아직 취한 것도 아닌데 너는 괜찮다가 왜 갑자기 이렇게 됐냐며 이유도 모를 질문을 하고 있었다. 질문은 마땅한 대답을 찾지 못해 공기 속을 가로질러 가고, 그 틈 사이를 메꿔 줄 다른 문장은 돌아오지 않았다. 다시 한번 맥주캔을 들어 올려 입에 털어 넣으며, 두툼한 손가락으로 무심하게 안주 봉지를 뜯었다. 빛나지 않는 비닐 껍데기 속엔 잘 말려진 오징어포가 들어있었다. 오징어포는 노릇노릇 구워져 있었고, 맛있는 냄새가 났다. 하지만 어쩐지 구역질이 나 마실 생각은 들지 않았다. 나는 혼자 다 마시라며 자리에서 일어나 이불 속으로 들어갔다. 아까 본 야생 덩굴장미의 색깔과 너무나도 닮은 색이었다. 진한 레드 빛. 그 속에 들어가 있자니 정말로 장미 안에 갇혀 있는 기분이 들었다. 천천히 밑바닥으로 내려앉았다. 알코올이 조금 분해됐다고 생각했는데 그게 아니었는지, 다시 한번 머리가 윙윙 돌기 시작했다.

*

야생 덩굴장미 한 줄기가 잠시 들어 올려지더니 그 옆으로 그가 기어들어 왔다. 등을 보이고 누워있는 내 왼쪽 어깨를 지그시 눌러 고개를 돌렸다. 몇 번이고 스쳐 지나가 따끔거렸던 장미 가시가 다시 한번 돋아나 기를 세우고 있었다. 처음에 느꼈던 가시와는 차원이 다른 생소한 느낌에 나는 숨을 참고 공포에 질렸다. 그 기분에 잠시 움츠러들었을 때, 다시 한번 야생 덩굴장미 한 줄기가 들어 올려졌다. 아까 비닐 껍데기를 뜯어 노릇노릇하게 구워진 오징어포를 뜯던 두툼한 손가락이었다. 우직하게 한 줄기 한 줄기를 먹기 좋은 크기로 뜯어내던 손가락은 언제 그랬냐는 듯, 꽤 유연해져 있었다. 마치 그 사람 자체가 원래부터 유연했다고 말해주는 듯한 느낌이었다. 생물학적으로 타고나서 매혹적인 리듬을 갖고 있는 것이 분명했다. 그런 손가락이었다. 오징어포를 맛깔나게 뜯을 때와는 전혀 다른 무언가라 해도 믿을 판이었다. 아마도 야생 덩굴장미가 손끝까지 도달했을지도 모르겠다, 라고, 생각했다. 실로 그것은 부드럽게 감기는 빨간 가시였다. 줄기까지 새빨간 가시가 저는 상관하지 말라는 듯 판을 벌이고 놀아나고 있었다. 그런데 가시가 손끝까지 도달했다고 생각했을 때쯤, 내 생각이 잘못된 것이라는 걸 깨달았다. 꽃 내음은 이미 온몸 구석구석에 퍼질 대로 퍼져있었고, 그도 그러했다. 나와 같은 것을 마셨다는 걸 증명이라도 하는 듯 그도 물들어 없는 곳 하나 없이 벌게져 있었다. 야생 덩굴장미는 방향을 바꿔 좀 더 본격적으로 향을 피워 낼 생각이라도 하는 듯했다. 향 내음에 다시 한번 아찔해졌을 때, 이번에는 내가 들어 올려져 야생 덩굴장미를 만났다. 마치 밑바닥을 들키기 전 마지막 새침함을 드러내는 것처럼 향 내음은 아주 잠시 스쳐 지나가고, 단숨에 가시덩굴이 하반신으로 밀고 들어왔다.

　나는 순간적인 향내에 몇 번이고 취해 다음 날 아침까지 깨지 못했다.

수긍

　낮에는 거래처와 미팅이 있어 못 본다고 하기에 근처의 북카페에서 시간을 보내고 있었다. 책장을 몇 번이나 넘기며 이제는 연락이 올 때가 됐는데, 하는 생각을 여러 번. 어려운 책을 한 권 다 읽고, 좋아하는 작가의 단편집을 하나 더 읽는데 3시간 정도가 흘렀다. Y를 기다리는 시간은 애가 탔고 꽤 더디게 흘렀다. 밖을 보니 저녁쯤이 되어 창가의 햇살이 노을로 바뀌려 하고 있었다. 내가 그다지 좋아하지 않는 뜨거운 햇살이었다. 그 햇살을 잠시, 바라보았다. 그리고 다시 책으로 눈을 옮겨 한 문장을 읽고 나니 이만하면 됐다는 듯 핸드폰이 울렸다. 무라카미 하루키의 '빵 가게 재습격'에서 주인공들이 빵을 훔치는 장면이었다.

　끼니와 간단한 안줏거리를 함께 할 음식이 뭐가 있을까 중얼대던 중, 그는 조개구이가 먹고 싶다며 인근의 주점 길을 둘러보았다. 바로 전 주 데이트에서 거하게 얻어먹었던지라 딱히 먹고 싶었던 게 없었던 나는 조개구이도 괜찮겠다고 생각했다. 그는 계속 가로수길에 조개구이 끝내주는 곳이 있는데 여기는 모르겠네. 하며 확신에 차지 않은 목소리로 이곳저곳을 기웃거렸다. 그러다 어차피 알지 못하는 거니 실패해도 어쩔 수 없다며, 수많은 횟집과 조개구이집이 늘어선 길에서 마땅치 않은 눈치로 한 곳을 정하고 들어가게 됐다. 사람들은 이미 조개껍데기를 한 바가지 가득 담고 있었다. 우리도 바로 주문하고, 곧이어 화롯불이 나왔다. 화롯불은 굉장히 뜨겁게 달궈져 있었고 날은 아직 더운 기운이 있었기에 그다지 좋은 상황은 아니었다. 맛이나 좋았음 됐지 하며 몇 수저를 먹는데, 그는 생각했던 조개 맛이 아닌지 연신 고개를 흔들어 대고 있었다. 조개가 찰지지 않고, 소스도 간이 딱 들어맞지 않는다며 아쉬움을 토로했다. 그래도 이렇게 먹으면 좀 더 낫지 않을까 하며 몇 번인가 시도했다. 하지만 원래부터 찰지지 않은 조개는 구워져서도 마찬가지였다. 입에 착 하고 감기는 맛이 없었다. 화롯불은 뜨거워 괴롭고. 나도 그리 만족스러운 상황은 아니었기에 우리는 절반 이상을 남기고 일어서고 말았다.

아쉬움을 달랠만한 것이 필요했다. 맛있는 안주와 마실 거리를 찾아야 할 것만 같은 토요일 밤이었다. 조금 걷다 보니 바로 옆 치킨집이 보여 바로 들어가 자리를 잡고. 곧이어 맛깔스러운 치킨과 맥주가 내어졌다. 만족스러운 튀김의 상태였다. 노르스름한 듯 바삭한 겉면에 속은 촉촉이 익어있어 이곳으로 오길 잘했다고 입을 맞추었다. 그는 여기 치킨이 괜찮다고 느껴져 다시 한번 와본 것이라고 말했다. 맛있는 음식과 맛없는 음식에 있어서는 판가름이 분명한 사람이라고 생각했다. 그는 맛있는 음식점은 반드시 기억해 뒀다 재방문하곤 했다.

갈까?

정신을 차려보니 눈앞엔 소주 두 병, 맥주 2천이 비어 있었다. 몇 번의 잔이 비워지고 음식이 들어가는 데 별다른 시간이 소요되지 않았다. 그 사람의 친구들, 형님 얘기. 나의 지인들 얘기. 일 얘기 등. 술이 필요한 대화는 아니었지만, 어쨌든 우리는 꽤 빠른 속도로 술을 마셨다. 구미가 당기는 안주가 있어서였을까. Y는 계산하고 몇 걸음 걷다 한마디 했다. 그렇게나 더디게 가던 시간이 눈 깜짝할 새에 지나간 이유는 그 한마디를 하기 위해서, 받기 위해서였다. 여러 가지 이야깃거리도 허기도 질 좋은 안주도 아니었다. 순간 조금 전에 무라카미 하루키의 단편집을 읽을 땐 시간이 어떻게 갔었더라, 하는 생각이 들었다. 비교 거리가 안 되는 논제인 것 같아 금방 그만두고, 택시에 발을 옮겼다.

맛있다.

그는 평소 나와 대화를 나눌 때, 내가 무언가를 물어보면 곧잘 조언해주곤 했다. 듣기 좋게 나열된 문장들이라 그런지 귀를 기울이면 기울일수록 마음이 차분해졌다. 그는 내가 이야기를 잘 들어주는 것이 고맙다고 얘기하며 또 다른 이야기 꾸러미를 늘어놓았었다. 하지만 그것은 어디까지나 '조언'이었을 뿐, 궁극적인 칭찬은 아니었다. 귀 기울여주는 것에 고맙다고 할 때도 어쩐지 형식적인 느낌이 들었다. 네가 이런 행동을 했으니 내가 이렇게 말해줘야 네 기분이 좋아질 것이다, 라는 걸 아는 듯한 말투였다. 늘 많은 사람을 만나며 좋은 이야기를 포장하는 데 익숙해져 어쩔 수 없었겠지만. 어찌 됐든 그것은 궁극적인 칭찬이 아니었다.

하지만 그런 그가 섹스할 때는 이런저런 칭찬을 물 흐르듯이 자연스럽게 토해냈다. 그것은 나에 대한 칭찬이었다. 아마도 너무나 현실적으로 다가오는 나의 장점이겠지 하며, 살짝 우쭐해졌다. 그래서 너무 조이고 있다고 싫지 않은 내색을 비출 때는 꽉 들어찬다고 맞받아 줬다. 그는 그렇게 내 안에 들어차 있을 때 몇 번이나 '맛있다'라고, 표현해 냈다.

죽인다.

죽여?

다은이가 섹스를 아는구나. 싶어.

처음 만났을 때 그의 완벽한 모습에, 내가 부족하면 어떡하나, 하는 걱정을 했었다. 그는 내가 모르는 9할을 경험하고 있었고 그런 점은 나에게 위압적이었다. 다양한 장소와 사람들을 만나며, 섹스 또한 그러했겠지. 그의 다양한 경험은 그를 바탕하고 있었기에 그 장소에 내가 어울리는지 궁금했다. 어떤 면으로 다가가든지 간에, 지나간 것들에 뒤지지 않을 수 있을까 하는 의문도 들었다.

그리고 그런 생각이 들 때면 나는 그보다 좀 더 집중해서 허리를 돌려봤다. 높은 음자리표가 몇 번이나 그려지는데, 그중 한두 개는 매끈한 선으로 그려졌고, 몇몇 개는 조금 굵직한 모습으로 표현됐다. 머릿속에 그려 본 안정적인 곡선의 형태가 나올 때면 나는 스스로 만족했다. 그리고 그럴 때마다 들려오는 칭찬은 무엇보다 즉각적이었다. 그는 자신이 해내지 못하는 것을 상대방이 해낼 때, 곧잘 칭찬하는 것 같았다.

시간은 새벽 4시를 가리키고 있었다. 그는 총 3번의 사정을 했다.

그날 밤은 그랬다. 계속해서 무언가를 원했기에 잠들 수 없었다. 이런저런 얘기를 하며 쉬는 때에도 잠이 들만하면 그가 나를 자극했다. 처음엔 수많은 여자와 잠자리를 가질 것인데도 무엇에 그리 목말라 나를 건드는지 이해할 수 없었지만, 몇 번이나 칭찬받을 때면 점차 수긍하게 됐다.

나는 옆으로 누워있었다. 그는 내 뒤에 있었다.

이윽고 다시 한번 그가 내게 다가왔고 그것은 어김없이 내 안에 들어찼다. 몇 번이나 그러했는데도 불구하고 또 다른 광물을 발견한 것처럼 그의 두 눈이 번뜩이고 있었다. 그는 그것을 갖고 싶어 했다. 새로운 광물의 빛은 생각보다 쉽게 찾을 수 있었고, 다가서기까진 그리 긴 시간이 소요되지 않았다. 그는 천천히 흙더미를 뒤져내 파헤쳐보았다. 입구를 쓸어 매끈하게 만들고 단단히 다졌으며, 빛이 다가오는 공간을 트고 있었다. 그렇게 터널

속에 좀 쑤시기를 몇 번, 내 안의 터널은 마치 숨겨둔 장미를 안고 있는 것 같았다. 나도 모르고 있던 기이하고 아름다운 모습에 오금이 서렸고, 발끝은 불이 붙은 듯 뜨거워졌다. 보고 싶었지만, 보고 싶지 않았다.

　　괴로웠다.

연락

한동안 연락이 없었다. 전화를 끊고 나서 한 달간은, 그 사람은 바빠 보였다. 단순히 일 때문만이 아니라 자신의 생활에 내가 들어찰 공간을 내주지 않는 이기적인 모습이었다. 어쩔 수 없었다. 왜냐하면 내가 그를 좋아하게 되는 순간, 그는 나를 저버리라 다짐했으니까. 내가 그에게 다가갈수록 그는 나를 두려워하고 점차 멀어졌다. 처음부터 여유 공간을 많이 둔 것도 아니었으니, 자리 잡을 틈 따위 있지 않았다고. 그에게서 연락이 끊겼을 때 깨달았다, 바보 같은 나는.

방금 나왔어. 어디쯤인데?

그런데도 불구하고 나는 전화기에 뜬 그 이름을 보자마자 통화버튼을 눌렀다. 그 상황은 평범하지 않았다. 월요일에 연락이 와서, 그럼, 주말에 보자고. 그렇게 이야기했었다. 하지만 그는 연락이 없었고, 나는 다시 한번 덧없는 상실감에 빠졌다. 무엇도 기대하지 않았었는데 그게 아니었는지. 아니면 마지막 한 올이라도 잡고 싶었던 건지. 무엇도 확실한 것이 없었지만 나는 눈에 보이지 않는 어떠한 것을 놓치지 않으려 애를 쓰고 있었고, 그런 자신에게 진절머리가 났다. 마지막 한 자락이 어떤 것인지도 모르면서, 무턱대고. 전화를 받아 소리를 질렀다. 지금 나를 그곳으로 부르고 싶으면 차라리 네가 오라고, 그러면 나가겠다고. 그건, 그런 말을 한 이유는, 그 사람이 내 근처로 온다면, 정말로 온다면. 그때는 조금이라도 기대할 수 있을 거란 생각이 들었기 때문이다. 실망만을 하고 싶진 않았다. 적어도 그 사람이 지금 나를 원하고 있다는 걸 증명해서 그렇게 한다면 나는 조금 위로받을 수 있을 것 같다고 생각했다. 알면서도 거부하지 않았다. 좋지 않은 상황이 다가오는걸.

그 사람은 내 대답을 듣고, 마음을 먹은 것 같았다. 나만큼 그도 자기 자신을 갉아먹고 있었다. 취할 대로 취한 상태에서 무엇을 원하는지도, 자신도 모르면서. 바보 같은 사람이라고 생각했다. 하지만 그만큼 나도 충분히 바보 같았다. 어쩌면 그 사람보다 조금 더 서로가 가까워지는 것에 위화감 따윈 느끼지 못했을 것이다.

택시에서 내려 몇 걸음 걸었을 때, 익숙한 벤츠가 눈에 들어왔다.

취할 대로 취한 상황에서 대리기사를 불러 몇만 원이나 냈다며 토로하고, 자신을 딱히 생각해 달라는 눈빛으로 나를 바라보았다. 애절했다. 그때 그 사람은, 그 사람이라 솔직했고 어쩔 수 없이 이기적이었다. 나는 그 모습이 그 사람답다고 생각했다. 싫어할 수 없을 정도로 인간적이고 이기적이었기에 방금 들은 그 말을 수긍할 수 있었다. 나는 어정쩡한 것에서 도망치고 싶었고, 잘됐든 아니 됐든 그 상황에서 무언가를 확실히 하고 싶었다. 그래서 고민 따윈 하지 않았다. 어쩔 수 없는 선택이었다고 얘기하기보다는 자신의 업보를 쌓아, 차라리 증거가 될 수 있는 것을 만드는 게 더 편할 것 같다고 생각했다. 그 사람과 나 사이 이미 여러 가지 선택지는 없었다. 그리고 우연히 본모습에서 나를 좋아하지 않는 마음이 그의 동공에 비쳤다. 다른 것들이 가득 채워져 있을 뿐이었다. 그것들이 무엇인지 알 수 없을 정도로 그 사람의 눈 속은 희뿌옇고 촘촘했다. 나는 그때 확신했다, 그 사람의 공간에 들어찰 여력이 안 된다는 것을. 분명히 그의 어떤 것도 나를 바라보고 있지 않았다. 방향은 일찍이 틀어져 있었다. 단 하나의 나쁜 마음만이 보였는데도, 그것을 외면하고. 그랬다. 외면할 수밖에 없었다. 그러지 않으면 나도 나 자신을 이해할 수 없었기에 일찍이 나 자신에게 변명거리를 제공해 주었다. 내가 지금 이 자리에 있는 이유는 이만하면 충분하다고, 그렇지 않으면서도. 괜찮다고 생각했다.

올라와 봐.

오랜만에 느껴보는 것이었다. 룸서비스는 왜 한 건지 이해가 되지 않았지만, 어쨌든 내 옆엔 맥주 두 캔과 마른안주가 놓여있었고, 그 말라비틀어짐이 상황과 굉장히 잘 어울린단 생각을 했다. 그것마저 약해빠져 보였다. 조금 미안한 말이지만 그 테이블에 놓여있는 모습이 나랑도 닮아있다 생각됐다. 자신도 이유를 모르면서 덩그러니 놓여있는 모습. 그런 것이 나와 닮아 보였다. 지금이라도 원래의 자리로 돌아갈 수 있어. 하지만 돌아가지 못했다. 이미 그것 또한 씹어지는 것이 최후였기에. 그런 것을 알면서도 모르는 척 놓여있었다. 그러는 순간 탁, 하고. 다리가 올라가며 맥주 한 캔이 쏟아지고, 그의 반지르르한 시계 위에 쏟아졌다.

아이, 하는 소리가 잠깐 들렸고 이게 얼마짜린데, 하는 농담이 지나갔다. 올라간 나는 순간 당황하여 잠시 멀어졌다가. 그를 기다렸다. 바지를 닦는 순간을, 아주 짧지만.

계속 네가 생각났어.

그가 나의 뒷모습을 보고 말했다.

이미 들어차 있는데도, 내가 다른 생각 없이 지금 이 자리에 있는데도 그런 말을 하는 심보는 무엇인지. 순간 화가 났다. 너무나 화가 나서 대답하지 않았다. 그렇게 말하지 않아도 지금 나는 네 옆에 있잖아, 너를 받아들이고 있잖아. 충분히 다 생각하면서, 그러면서도 지금 이 자리에 있잖아.

그 생각을 하는 순간,

페니스가 닿아있는데도 나는 피곤함이 몰려왔다. 금방이라도 잠에 들 것만 같았다. 순간 힘이 없어지고 당장에라도 잘 수 있을 것만 같았다. 그는 내가 서서히 힘이 빠지는 것에 익숙지 못했고 조금 당황한 것 같았다. 나 같지 않다고 이야기하며 졸리냐고 물었다. 한 달 전의 그 생생함과는 너무나 다른 상황에 나 또한 당황했고 그 질문에 확실한 대답을 할 수 없었다. 대답으로 할 만한 단어가 생각나지 않았다. 아무것도 마시지 않았으면서 그 사람보다 더 자신의 잘못됨에 취해 있었고, 옳은지 그른지도 모르는 바보가 되기로 작정했기 때문에 대답할 수 없었다. 엄밀히 말하자면 어느 쪽도 아니었다. 하지만 그런 말을 해 봤자 그 사람은 듣지 않을 것이 뻔했다. 나도 나를 잘 모르겠다고, 그럼 너는 뭐냐고. 자신의 업보는 잊은 채 다시 한번 되물을 것이 뻔했다. 내 안의 모든 생각과 행동이 온전히 나의 책임이라고 떠넘기는, 그 사람에게 나는 무엇도 기대할 수 없었다.

그 생각을 하는 순간, 졸음이 밀려왔다.

눈을 떠보니 아침이었다.

햇살이 커튼 틈 사이로 들어오는 것을 눈치채고 무르지도 않은 상태에서 무작정 그를 받아들였다. 그가 아직 잠들어 있는 상황인데도, 나는 씻고 나가야 했다. 그러기 위해선 그를 받아들이는 것이 확실하다고 생각했다. 무르지도 않았지만.

아팠다.

어찌 되었든 나는, 무사히 집에 도착했다.

막차

다은아. 오빠가 가끔 표정도 어둡고 말이 없어서 어렵지? 원래 그래. 생각이 많아지면 다른데 신경을 못 쓰거든.

Y는 잘 익은 목살을 싹둑싹둑 자르며 대뜸 그런 말을 했다. 내내 표정 없는 얼굴로 있는 모습이어서, 나는 역시나 공연이 별로였나 하고 생각하고 있었다. 재즈는 취향이 아니었구나, 하고. 다음번엔 좀 더 서로가 웃을 수 있는 그런 걸 봐야겠다고 생각하고 있었다. 알게 된 지 얼마 안 된 재즈가였지만 난 좋았는데, 하고 말이 없어졌다. 그는 이전에 같이 공연을 보지 않았다는 사람처럼 가로수길 골목 안 수많은 고깃집 중 어디가 좋을까 고민하고 있었다. 맛에 민감한 그였기에 몇 바퀴나 돌고 돌았지만 쉽게 찾지 못했고, 나는 그 안에서 도는 내내 발렛파킹을 하는 사람들이 분주히 움직이는 것이 보였다. 어쩐지 저녁 시간대라 자리가 없는 것이 보여서 생각하던 찰나였다.

Y는 생각을 굳혔는지 자주 대는 장소가 있다며 핸들을 돌렸다. 고깃집에서 얼마 떨어지지 않은 어두운 골목 안에 그 자리에 어울리는 클래식 세단을 대고 나는 자리에서 내렸다.

이거 먹어. 잘 익었네.

아, 응.

친구가 근처에 있어서 올 것 같은데, 괜찮니?

친구?

응, 곧 올 것 같은데.

고기 맛이 그저 그런 인상이었다. 왠지 편안하지 않은 동네에 자주 오게 되어, 이제는 좀 편안해질 법도 한데 나는 그때까지도 적응하질 못했다. 맛있는 고기였지만 맛있다고 느끼기 어려웠고, 옆자리의 사람들은 조금 시끄러웠다. 나는 배가 고팠지만, 고기를 맛있게 먹을 수 없었다. 그저 그렇게 집어먹는 젓가락질을 알고도 모르는 체하는 건지. 그런 나의 상황은 안중에도 없는 그가 연신 마늘을 주문해 댔고, 이제 곧 친구가 올 거라며 고기를 2인분 더 추가했다. 싱싱한 선홍빛을 머금은 두터운 목살이 두 덩이 올라왔다, 그때까지도, 나의 머릿속엔 아직도 몇 시간 전에 가슴을 울렸던 그 신랄한 재즈 음악이 들리고 있었다.

근데 이 친구 나이는 알고 사귀는 거죠?

아, 네. 당연히 알죠.

아, 그렇구나.

그 사람의 친구라는 사람은 평범한 인상에, 평범한 머리 스타일을 갖고 있었고, 그와 비슷한 작은 키였지만 몸집은 제법 있는 편이었다. 처음 마주친 터라 그런지 어색해하는 모습으로 연신 소주를 들이켰고, 여느 사람과 마찬가지로 평범한 대화로 Y와 내 사이에 끼어들었다. 우리는 그를 위해 자리를 옮기려 일어섰고, Y가 잘 아는 이자카야가 있다며 그쪽으로 이동했다.

이자카야는 고깃집에서 그리 멀지 않은 위치에 있었는데, 가게에 들어서자마자 주인으로 보이는 사람이 Y를 보고 반갑게 인사하는 바람에 나까지 정중한 인사를 받게 되었었다. 환하게 웃어주는 점주가 직접 메뉴판을 들고 자리로 와 우리 세 사람에게 오늘은 이 메뉴가 좋다며 추천했고, Y는 사시미를 주문했다.

정신없이 지나가는 통에 나는 무슨 얘기를 했었는지 기억이 나질 않았다. 아까 먹었던 것이 무슨 맛이었는지, 이 가게의 이름이 뭐였는지조차 생각나지 않았다. 맛있는 곳의 상호는 꼭 기억하는 내가 보지도 않고 들어왔었나, 하는 생각이 들며 화장실로 간 Y를 기다렸다. 그의 친구라는 사람은 나에 대해 몇 가지를 물어보고는 금방 자리를 떴었고, 둘만 남은 상태에서 그가 질 좋은 사케를 계속 주문하는 바람에 나는 멈출 수가 없었다. 이상하게도 그 장소에 있는 것만으로도 나는 취하는 것 같았다. 그리 많이 마신 상태도 아니었단 걸 생각해 보면.

시간은 1시를 가리키고 있었다.

나 가야돼, 막차 놓쳐.

지금 가서 막차를 타겠다고? 늦었어.

지금 가야 한다니까.

그러지 말고 오늘 오빠랑 같이 있자, 응?

나는 무엇을 원했던 건지 너무 피곤했고, 피곤했고, 어떤 편안함을 바랬던 건지 자꾸만 기댔고, 기댔다.

맞는 답을 찾기에는 이미 너무 멀리 와버린 건지 어두컴컴한 방 안에 체크인하는 순간까지 헷갈렸고, 그의 것이 들어오는 순간 모든 것이 확실하게 들렸다.

아까 들었던 그 재즈 음악이 어땠더라? 아무래도 다시 찾아봐야겠다.

안 되는데. 안된다니까.

Special thanks to –
김들이,
이 글을 읽고 섰거나 젖은 모든 분들,
나의 가족.

속옷의 후크가 벗겨진 건 그때였다

다은 지음

1판 1쇄 발행	2023년 10월 23일

펴낸이	다은
편집, 디자인	다은
교정, 교열	다은
펴낸곳	도서출판 은
등록	2023년 8월 14일 제 2023-000038호
주소	서울특별시 동작구 대방동3길 2
ISBN	979-11-984376-1-7

이메일	daeunbook666@gmail.com
X	@daeun666
인스타그램	@daeun_666
텀블러	www.tumblr.com/blog/eunload